SUSHI

KATSUJI YAMAMOTO

Y ROGER W. HICKS

SUSHI

KATSUJI YAMAMOTO
Y ROGER W. HICKS

KÖNEMANN

Este libro fue diseñado y producido por:
Quintet Publishing Limited
6 Blundell Street
London N7 9BH

Redactora: Beverly LeBlanc
Fotógrafo: Steve Alley
Ilustraciones: Lorraine Harrison

Título original: *Step by Step Sushi*

Könemann Verlagsgesellschaft mbH
Bonner Straße 126
D-50968 Köln

Traducción del inglés: Marta Altimira Cabré para LocTeam, S.L., Barcelona
Redacción y maquetación: LocTeam, S.L., Barcelona
Impresión y encuadernación: Sing Cheong Printing
Impreso en Hong Kong, China

ISBN 3–8290–1123–7

10 9 8 7 6 5 4 3 2 1

CONTENIDO

Los japoneses tienen un talento especial para la belleza. También se han labrado una reputación que les asocia al gusto por lo complicado: ¿quién no ha oído hablar de la ceremonia del té, que eleva tan sencilla bebida a la categoría de arte?

El sushi puede llegar a ser casi tan complicado como la ceremonia del té, si lo que se busca es conocer su historia en profundidad y llegar a dominar la terminología en lengua japonesa. Y, desde luego, llegar a ser un maestro en sushi *(itamae)* es una tarea que requiere muchos años de dedicación.

INTRODUCCIÓN

Este libro trata principalmente sobre cómo preparar sushi y, para poder apreciar el sushi en casa, es preciso saber apreciarlo cuando se come fuera. Algunas costumbres no son lógicas a primera vista; por ejemplo, cuando se pide sushi a la carta se pide dos veces, no una. Es decir, no se pide de una sola vez lo que se piensa comer, sino que se piden unas cuantas raciones, luego unas cuantas más y la comida o la cena se acaban cuando el *itamae* pregunta si el comensal desea algo más y éste le contesta que no. Observando al *itamae* también se puede aprender mucho sobre cómo preparar sushi en casa.

Pero vale la pena conocer un poco la historia del sushi. Una de las versiones cuenta que originalmente el arroz se utilizaba sólo para conservar el pescado y se tiraba cuando iba a servirse. Algunos, sin embargo, se acostumbraron al sabor de este arroz y he aquí el origen del sushi. Existen platos de pescado fermentado en muchas partes de Asia, incluyendo Japón: se trata del *nare-zushi* (la palabra "sushi" se transforma en "*zushi*" cuando se escribe tras un guión).

Otra versión, con una antigüedad de unos 1.200 años, explica cómo al emperador Keiko le sirvieron en una ocasión mariscos en vinagre y cómo el sabor le gustó tanto que convirtió al inventor en su jefe de cocina.

Sea como fuere, es incuestionable que el sushi goza hoy de gran popularidad y que ésta va en aumento. Incluso quienes no acaban de sentirse cómodos con la idea del pescado crudo pueden pasar a engrosar la lista de los conversos, al darse cuenta de que el sushi rivaliza en textura con el filete más delicado *(filet-mignon)* y de que su sabor es realmente exquisito. Y si se resisten a probar las variedades más exóticas, como el pulpo o el erizo de mar, pueden limitarse al atún o a la seriola, al sushi vegetariano e incluso al rollito *kasher*, con salmón ahumado y requesón.

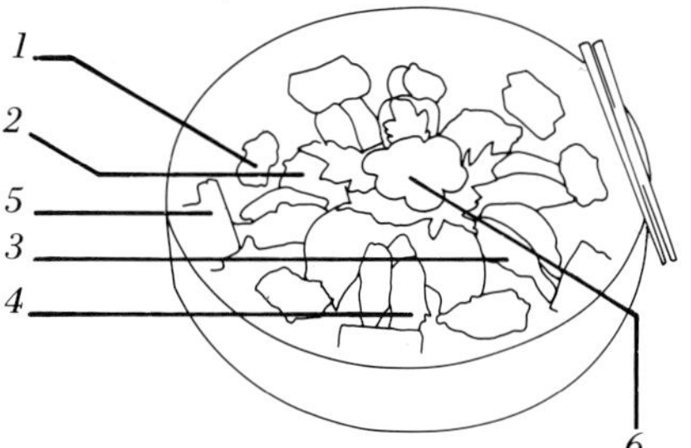

1. Arca japonesa (página 52)
2. Atún (página 92)
3. Langostino (o gamba, página 80)
4. Caballa (página 62)
5. Tortilla (página 54)
6. Rollito picante de atún (página 84)

NIGIRI-ZUSHI Y MAKI-ZUSHI

El tipo de sushi más conocido en Occidente, y sin duda también el más popular en Japón, se llama *nigiri-zushi*. Esta variedad se extendió hace unos doscientos años como comida rápida: ¡y vaya diferencia con la comida rápida occidental!

El *nigiri-zushi* es, de hecho, lo que la mayoría de la gente llama "sushi", y en muchos aspectos se trata de su forma más sencilla, por lo menos en concepto. El chef corta una porción de pescado crudo (o de cualesquiera de los muchos posibles ingredientes), unta con una pizca de *wasabi* (rábano picante japonés o mostaza japonesa) la cara inferior, y coloca el pescado sobre una porción de arroz aromatizado con vinagre, de forma parecida a la de un dedo. A veces, se ata el pescado al arroz rodeándolo con un "cinturón" de *nori* (papel de alga). El paquetito es lo suficientemente compacto para que pueda tomarse con los dedos o con los palillos, y al probarlo parece fundirse en la boca. Sobra decir que su preparación no es tan sencilla como pueda parecer a simple vista, aunque es posible aprender a prepararlo en casa.

Si la cobertura es blanda o semilíquida, como sucede con algunas huevas, o con el erizo de mar, el chef construye un pequeño "muro" de *nori* a su alrededor. Este tipo de sushi se conoce como *gunkan-maki* o "sushi acorazado", debido a su forma.

El siguiente tipo más frecuente de sushi son los rollitos *(maki-zushi)*, de los que existen infinitas variedades, y es común que cada chef cree sus propias especialidades. Su modalidad más sencilla, consiste en una capa de *nori* sobre la que se extiende arroz para sushi. En el centro, el chef coloca pescado, aguacate, pepino, o cualquier otro ingrediente, y luego lo enrolla con la ayuda de una esterilla de bambú flexible. El rollito, compacto, se corta en rebanadas, y en los restaurantes más caros, se sirven en una refinada presentación artística.

Las variedades más espectaculares de sushi en rollitos incluyen una capa más de arroz alrededor de la cara exterior del *nori*, con pescado, y a veces aguacate, enrollados a su alrededor. A los chefs les encanta demostrar su virtuosismo con estas piezas.

Una modalidad menos formal de *maki-zushi* es el *maki* enrollado a mano, que recuerda a los antiguos conos de helado, con *nori* en vez de galleta, y que se rellena de arroz para sushi y de lo que el cliente o el chef deseen. Hablando con propiedad, cualquier *maki* que no se prepare con la ayuda de la esterilla de bambú, es un *temaki*. Existen muchas otras variantes de *nigiri-zushi*, como el *inari* (tofu relleno frito), el ojo de tigre (pág. 90) y el sushi con ingredientes cocidos.

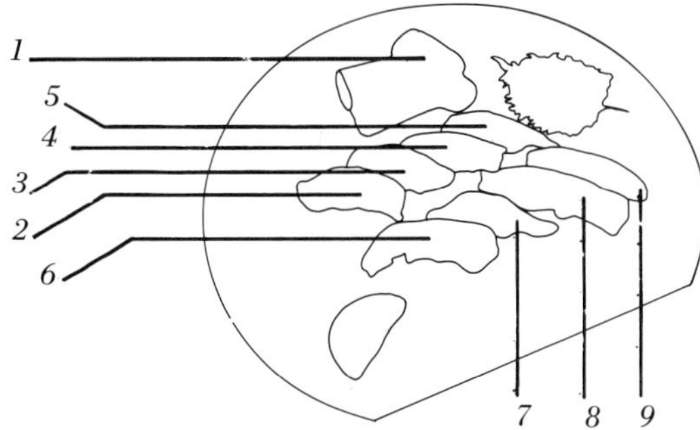

1. Maki de atún (página 84)
2. Seriola (página 92)
3. Atún (página 92)
4. Sepia cocida (página 86)
5. Gamba (langostino; página 80)
6. Pulpo (página 64)
7. Caballa (página 62)
8. Tortilla dulce (página 54)
9. Congrio (página 76)

El hako-zushi *(sushi de caja) se prepara utilizando una caja especial para prensar el arroz, cuya tapa y base pueden desmontarse.*

OTROS TIPOS DE SUSHI Y SASHIMI

Sushi variado *(chirashi-zushi)*

Como es de esperar, la forma en la que se presentan los distintos ingredientes en este tipo de sushi raramente es casual. Sin embargo, es el más sencillo de preparar, si no le preocupa la presentación.

En el *chirashi-zushi* se puede usar cualquier ingrediente además de pescado: verduras, tortilla, pollo, huevo revuelto y setas *shiitake* (pág. 72).

Sushi al vapor *(mushi-zushi)*

Si prepara *chirashi-zushi* con arroz crudo remojado (véanse instrucciones para el remojo en la página 42), y luego lo cuece al vapor 15 minutos, el resultado es un *mushi-zushi*. Es uno de los pocos tipos de sushi que puede recalentarse como "sobras".

Sushi de caja *(hako-zushi)*

Para su preparación, el *hako-zushi* requiere una caja para prensar el arroz, tal y como muestra la fotografía. Puede utilizarse un solo tipo de pescado, o varios tipos, y se diferencia del *nigiri-zushi* en que el arroz y el pescado se prensan formando un bloque grande, que después se corta en raciones antes de servir.

Sushi fermentado *(nare-zushi)*

Ya se ha mencionado el *nare-zushi* como uno de los posibles antepasados del sushi. A pesar de que todavía se encuentra en algunas partes de Japón, es algo que requiere un paladar educado, y no es cómodo –ni prudente– prepararlo en casa; algunos tipos de sushi fermentado tardan hasta un año en alcanzar la maduración adecuada.

Sashimi

El *sashimi* es sushi sin arroz. El pescado puede ser crudo o cocinado, y marinado o sin marinar. Algunos tipos de *sashimi* requieren un paladar educado: las sepias pequeñitas, enteras, saben deliciosas, aunque su aspecto resulte algo desagradable para muchos occidentales.

El *sashimi* se come a veces como preludio del sushi o como entrante de un plato cocinado o también solo.

御祭禮
Love

Así ve el itamae *el bar de sushi desde la barra: un vertiginoso torbellino de trabajo.*

LOS BARES DE SUSHI

Se sirve sushi en muchos restaurantes y aunque este libro trata sobre su preparación en casa, un buen *tsu* (experto en sushi) preferirá comerlo en bares típicos.

La historia cuenta que originalmente en los bares de sushi la gente no se sentaba, se paraba para comer algo rápido de camino hacia algún lugar, antes de llegar a casa después del trabajo, e incluso entre actos, en el teatro. Debido a que en estos bares se servían comidas rápidas, no se servía alcohol y se daba máxima importancia a la rapidez del servicio.

Los bares de sushi han ganado mucho en sofisticación desde aquellos tiempos. Los más caros rivalizan con un buen restaurante de cocina francesa en cuestión de precio, mientras que todavía existen locales en los que se halla una televisión sobre la barra del bar y la mayoría de los clientes son obreros. Existen incluso bares de sushi mecanizados, en los que el *itamae* está rodeado por una cinta transportadora que recorre la barra y los platos pasan lentamente ante los ojos de los clientes. El color de los platos funciona como un código y el *itamae* simplemente va preparando nuevos platos a medida que se van acabando.

Un bar clásico de sushi sólo sirve sushi y consta únicamente de una barra, sin mesas. Fuera de Japón no son frecuentes. En cualquier caso, a menos que el restaurante tenga barra, un *tsu* o alguien que aspira a convertirse en *tsu*, no comerá allí, ya que la mejor forma de comer sushi es sentado en la barra.

Al sentarse en una barra de sushi, le traerán *wasabi*, una pasta verde conocida como rábano picante japonés (porque se prepara a partir de una raíz) o como mostaza japonesa (porque es picante), y *gari* (jengibre en vinagre, cortado en láminas). El *gari* también recibe el nombre de *sudori shoga*. En algunos locales, le traerán también una toallita caliente; tradicionalmente, en los bares de sushi se disponía de agua corriente para que los clientes pudieran lavarse las manos. Si al sentarse no le sirven té automáticamente, pídalo. En muchos bares de sushi existen unas listas impresas en las que uno, la camarera o el propio *itamae* marcan con una cruz lo que se pide, aunque los *itamaes* a la antigua memorizan los platos y sacan la cuenta mentalmente.

El sushi se come con palillos o con los dedos. Entre bocados tome un poco de jengibre y beba té para limpiarse el paladar. El sake se bebe antes de un bocado, no después.

EL TÉ

Un purista sólo bebe té cuando come sushi –té verde japonés, por supuesto, ni té de la India, ni té chino– y siempre lo toma sólo, sin azúcar, ni aditivos de cualquier tipo.

Existe té japonés de muchos grados distintos, y el más barato, *bancha*, es adecuado para tomarlo con sushi. Algunos sirven té de un grado superior (*sencha*), pero los mejores (*hikicha* y *gyocuro*) no se sirven normalmente con sushi, ya que su delicado aroma se vería dominado por el sabor del pescado.

Todos los tés japoneses tienen una cosa en común, y es que *no* utilizan agua hirviendo en su preparación. Generalmente, cuánto más caro es el té, más corto es el tiempo de infusión y más baja la temperatura del agua utilizada: entre 1 y 2 minutos a unos 65°C para *gyocuro*, 2 minutos a unos 75–80°C para *sencha* y entre 2 y 3 minutos a cualquier temperatura inferior a la de ebullición para el *bancha*. Las hojas de *bancha* se reutilizan a veces para una segunda infusión.

Si el té se prepara con hojas, éstas no deberían flotar; ello indica que la infusión es insuficiente, ni hundirse, porque con seguridad es excesiva. En una taza de té perfecta, las hojas deberían flotar en medio de la taza y, si lo hacen verticalmente, se considera un muy buen augurio.

En los bares de sushi, el té se prepara a veces con hojas en polvo, ya que la infusión es más rápida. Debería servirse siempre en unos cubiletes grandes llamados *yunomi*, que se van rellenando durante toda la comida, sin que se cobre más de una tetera. Al sentarse en una barra, el *itamae* o uno de sus ayudantes debería servirle té automáticamente; si no es así, simplemente pídalo.

1 Caliente la tetera y vierta en ella una cucharadita de hojas bien colmada por persona.

2 Vierta agua hervida, que haya dejado enfriar un poco, por encima de las hojas. Tape la tetera y espere 1 ó 2 minutos, mientras se hace la infusión.

3 Caliente las tazas y, sujetando la tapa de la tetera, vierta el té; llene las tazas hasta tres cuartos de su capacidad.

4 Al beber el té, tome la taza con la mano derecha y sosténgala por debajo con la izquierda. Es costumbre hacer algo de ruido al sorber, especialmente si está muy caliente.

EL SUSHI Y LAS BEBIDAS

La correcta etiqueta al beber sake requiere que usted llene la taza de su acompañante, pero nunca la propia. En Japón nunca se permite que una taza de sake esté vacía durante demasiado tiempo. La copa puede llenarse hasta rebosar. En teoría, la taza de sake se bebe entera de un sorbo. Al brindar se exclama: ¡kampai!

A pesar de que la única bebida que tradicionalmente se toma con el sushi es el té, los japoneses hacen gala de una gran flexibilidad en este sentido, e incluso quienes sólo beben té con el sushi, disfrutan a menudo de una bebida alcohólica como aperitivo.

Las opciones más habituales son normalmente el sake o la cerveza. Un purista, si no bebe té, elegirá un sake seco, pero tal y como puede deducirse a partir de la publicidad que decora los bares de sushi, los fabricantes de cerveza japoneses se han propuesto cambiar la situación: Sapporo, Kirin y Ashai se disputan los clientes ofreciendo guías ilustradas del sushi junto a la carta de sus cervezas.

Como alternativa al sake o a la cerveza, algunos japoneses beben whisky. El whisky escocés es el más apreciado, pero el japonés ha dejado de ser algo que pueda tomarse en broma. Suntory es una de las mejores marcas y no tiene nada que envidiarle a cualquier buen whisky escocés. Beber vino con el sushi ya es algo menos habitual.

Si compra sake para beber en casa, elija *kara kuchi*, el seco, y recuerde que los grados (especial, primero y segundo) se refieren al grado de alcohol, no al sabor. El sake contiene entre un 16 y un 19% de alcohol. El *mirin* es sake para cocinar, no para beberlo.

En algunas ocasiones, el sake se sirve helado, pero es más habitual que se sirva templado o caliente. Para calentarlo, viértalo en botellas de sake y caliéntelas al baño María con agua casi hirviendo. Otra alternativa, para ahorrarse algo de tiempo, consiste en calentarlo en el microondas. La temperatura correcta al servirlo debería ser de 36 a 40°C.

El sake se bebe en tacitas de cerámica o porcelana y se sirve en unas vasijas pequeñas del mismo material. Siempre se debe levantar la taza al servirlo, dejándola reposar sobre la mano izquierda y sosteniéndola con la derecha.

EL SUSHI Y LA SALUD

La clase médica ya se ha encargado de glosar las bondades del pescado, pero pocas publicaciones dietéticas se han dedicado a la cuestión del sushi.

Primero, el pescado crudo contiene muchos nutrientes, incluyendo vitaminas y oligoelementos, que se destruyen total o parcialmente al cocinarlos.

Segundo, el sushi es ideal para las personas a quienes preocupa el colesterol. La única excepción es el *tamago* (tortilla) y, en cualquier caso, es realmente difícil llegar a comer cantidades suficientes para que pueda tener alguna importancia.

Tercero, el sushi es muy bajo en calorías. Es imposible hacer un recuento de calorías por ración, pero podríamos decir que cada dos piezas de sushi, o cada rollito, representará normalmente menos de 100 calorías, y a menudo, muchas menos.

El arroz para sushi contiene entre 80 y 130 calorías por cada 100 g y el pescado, de 65 a 265 por cada 100 g. Sólo el atún más graso excede a veces la banda superior de estas cifras, mientras que el marisco y los pescados no grasos están mucho más próximos a las bandas inferiores. Otros ingredientes frecuentemente utilizados, como el *kombu* o el *nori* (algas), el *gari* (jengibre en vinagre) y el *wasabi*, no pueden provocar aumentos de peso significativos.

En cuanto a los aspectos negativos, hay que tener en cuenta la sal, los parásitos y el *fugu*.

El pescado crudo en sí ya es bastante salado, y la salsa de soja añade más sodio todavía a la comida. En la mayoría de los casos, sin embargo, se trata de cantidades de sal lo suficientemente pequeñas para no tener que preocuparse, y si el sushi se prepara en casa, puede utilizarse menos sal o un sustituto de la sal.

Los parásitos están presentes en varios tipos de pescado y, especialmente, en el salmón (razón por la que no se come en Japón), pero se dice que la congelación acaba con ellos y, lo que es más importante, con sus huevos.

El famoso *fugu*, o pez globo, contiene una toxina letal que se acumula en su hígado y en sus ovarios. En Japón, cada año mueren más de 200 personas en dolorosa (aunque, normalmente, muy rápida) agonía por la ingestión de *fugu* que no ha sido adecuadamente preparado; por esta razón, sólo los *itamaes* con una licencia del gobierno están legalmente autorizados para prepararlo. El riesgo es muy pequeño, pero en caso de duda, puede limitarse a no pedir este plato, muy caro y difícil de encontrar fuera de Japón.

La seriola (pág. 92 y 93), de la familia de los jureles, parecido al atún y procedente del océano Pacífico, es uno de los pescados más grasos utilizados en el sushi, aunque las porciones de la fotografía no contienen más de 80 ó 90 calorías. Además, al pedir un tipo distinto de sushi en cada ocasión, tiene tiempo de valorar si necesita pedir más.

EL SUSHI EN CASA

El resto del libro trata sobre la preparación de sushi en casa. Antes de comenzar, vale la pena hacer una serie de consideraciones generales.

Para empezar, no todo el sushi es crudo. Incluso cuando se trata de pescados que generalmente se sirven crudos, como la sepia, existen formas más antiguas de preparación en las que se cocinan, y muchos *tsu*s prefieren estas variantes.

En el caso de algunos tipos de marisco, especialmente los langostinos (o gambas), sólo los ejemplares más frescos se sirven crudos: la "gamba danzante", que todavía parece estremecerse con vida después de cortada y preparada, es el ejemplo clásico. Los ejemplares menos frescos se cocinan.

Una sorprendente proporción del sushi que se consume actualmente se prepara a partir de ingredientes congelados. Incluso los langostinos (o gambas) que se sirven crudos pueden haber sido congelados, aunque debe tratarse de una congelación rápida y muy cuidada y, desde luego, no será barata.

Existen muchos tipos de pescado, y sobre todo de marisco, que sólo pueden encontrarse congelados y en cajas, a menos que se frecuenten los bares de sushi más caros del Japón. Con las coberturas congeladas, la preparación del pescado se reduce a una lenta descongelación (toda la noche en el frigorífico).

Las variaciones locales y la sustitución de unos ingredientes por otros es algo habitual. En la medida de lo posible, este libro ha pretendido agrupar los pescados que se tratan de la misma manera en las mismas páginas.

Debido a la creciente popularidad del sushi, se fleta pescado en avión con regularidad, y los japoneses en concreto compran pescado de todas las partes del mundo. Por otro lado, en la ciudad de Tokio, muchos bares de sushi están fuera del alcance del hombre de la calle debido a sus exorbitantes precios. Y, si embargo, no todas las formas de sushi son caras. La carne de cangrejo de imitación, que se prepara a base de pescados blancos debidamente sazonados, constituye una excelente cobertura para sushi a un coste reducido. En casa, lo más fácil es servir una gama más bien restringida de pescados y mejor como entrante que como plato principal.

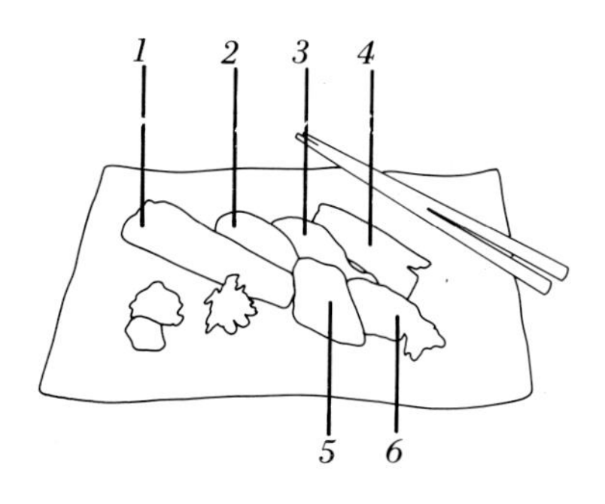

Sushi para preparar en casa: 1. Temaki *de verduras (página 88); 2. Langostinos (o gamba, página 80); 3. Seriola(página 92); 4. Carne de cangrejo de imitación; 5.* Gunkan-maki*; 6. Brotes marchitos de* daikon

EN LA COCINA

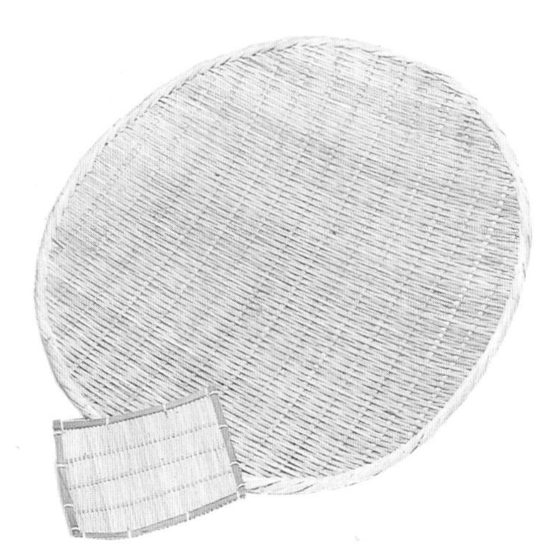

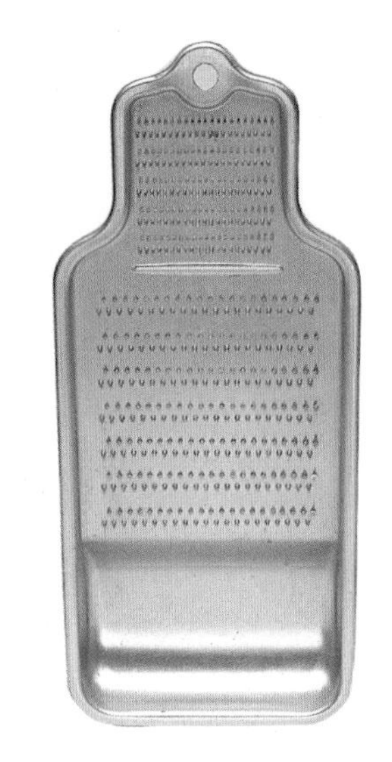

Lo más importante es disponer de agua corriente abundante, porque tendrá que lavarse las manos, lavar los cuchillos, los trapos de cocina y la esterilla de bambú con mucha frecuencia.

La *manaita* (tabla de cortar) puede estar hecha de cualquier material: tradicionalmente eran de madera, pero las de plástico también funcionan bien. El tamaño adecuado sería unos 30 cm x 45 cm. Debido a que es difícil eliminar el olor a pescado de una tabla de madera, reserve una tabla (o una cara de la tabla) sólo para cortar pescado y marisco.

Un maestro en sushi tiene siempre varios cuchillos *(bocho)*. La mayoría de las operaciones se realizan con tres de ellos: el multiuso *banno-bocho*; el que es parecido a una cuchilla, *deba-bocho*, y el que tiene la punta cuadrada, *nakiri-bocho*, para cortar verduras. Dos de los más importantes son el *sashimi-bocho*, un cuchillo largo y fino que se emplea para cortar los filetes una vez se ha retirado la espina y el *sushikiri-bocho* (*yanagi*).

En la práctica, un cuchillo de cocina de buena calidad, largo y bastante ligero, servirá para la mayoría de las funciones: elija el tamaño que prefiera (normalmente la hoja debe medir entre 17,5 y 25 cm). Mantenga la hoja afilada como una cuchilla de afeitar; si se intenta preparar sushi con un cuchillo mal afilado, se desgarra la carne del pescado y los cortes quedan desiguales. Después de su uso, lave y seque bien el cuchillo y guárdelo cuidadosamente.

Es fundamental disponer de un *zaru* (colador) para escurrir el agua. Un colador de plástico o esmaltado es suficiente, pero un buen *zaru* de bambú no es caro. Después de usarlo, debe secarse y ventilarse para que no se cubra de moho y adquiera olor a humedad.

Entre otros instrumentos figuran un *makisu* (esterilla de bambú), una sartén para tortillas (*tamago-yaki nabe*), un rallador, un instrumento para escamar pescado y unos palillos cilíndricos. Es tradicional usar sartenes de hierro colado. Si desea preparar sushi de caja, también necesitará una caja de sushi.

El instrumento tradicionalmente utilizado para escurrir los alimentos es el zaru *(colador de bambú).*

El oroshi-gane *(el rallador japonés) es extremadamente afilado, de metal o cerámica y a menudo cuenta con un rebajo que recoge los jugos que se desprenden al rallar. Es ideal para rallar* daikon, *jengibre o* wasabi, *aunque un rallador occidental que tenga las ranuras muy pequeñas, también servirá.*

Para preparar sushi se utiliza el makisu *(esterilla de bambú). El sushi puede enrollarse a mano, pero queda menos compacto y uniforme.*

Los itamaes *conceden mucha importancia a sus cuchillos que, a veces, se transmiten de padres a hijos. Los cuchillos vienen en estuches de madera como los de la fotografía.*

LAS TÉCNICAS DEL SUSHI

Este libro se ha limitado a la descripción de los tipos de sushi que pueden prepararse en casa. Hasta cierto punto, el sushi es una cuestión de técnica; pero más allá de este punto, se trata de puro arte. En los mejores restaurantes de sushi de Tokio, lo que se paga ya no son los ingredientes, ni siquiera el ambiente del restaurante: es la gracia y la habilidad con la que éstos se combinan.

Aunque el enfoque de este libro puede contribuir a que la experiencia de comer en un buen restaurante de sushi se aprecie mejor, es fácil sentirse intimidado por tanto arte. Cuando coma fuera, fíjese en el *itamae* mientras prepara la comida y, con el tiempo, podrá empezar a concentrarse en el aspecto artístico, además de preocuparse por la técnica.

Por encima de todo, el secreto de la preparación del sushi consiste en tener siempre las manos húmedas. De lo contrario, el pescado se seca y el arroz se pega a los dedos. Mezcle 2 cucharadas de vinagre con 500 ml de agua en un bol y añada una rodaja de limón. Utilice este agua para humedecer el cuchillo y las manos.

Los cuchillos deben estar mojados al usarse y deben limpiarse con frecuencia. Limpie el cuchillo con un paño mojado o sumerja la punta en el agua y, con el cuchillo vertical, deje que el agua se extienda por la hoja dando unos golpecitos con el mango sobre la mesa. Preste mucha atención para evitar que los sabores puedan pasar de unos ingredientes a otros a través de su contacto con el cuchillo.

Corte y descarte cualquier parte del pescado tanto por razones estéticas como por cuestiones de paladar: jirones de piel, espinas, partes descoloridas... Si se trata de pescados grasos, corte y descarte la carne más oscura que rodea el estómago, ya que su sabor es demasiado fuerte para la mayoría de los paladares.

Los chefs utilizan unas pinzas bastante grandes, con los extremos planos, para extraer las espinas de los filetes de pescado. Compruebe visualmente y con las puntas de los dedos que no quede ninguna espina.

Al cortar una ración de pescado de un filete cuadrado o rectangular (formas en las que a menudo se compra), corte el extremo como se indica en la fotografía. No utilice esta parte para *nigiri-zushi*, ya que no será tan tierna ni su aspecto tan adecuado como si se hubiera cortado al bies. Esta técnica se conoce como *sakudori.* Los trozos de pescado de formas desiguales pueden utilizarse en los rollitos, en los que la apariencia no es importante.

El pescado se corta siempre al bies, así.

La manera más fácil de cortar el nori es con un cuchillo. No intente hacerlo con las manos.

Las verduras se cortan a menudo longitudinalmente, partiendo de trozos cortos; es mucho más fácil que intentar cortarlas enteras, si son largas y más estrechas.

Tenga siempre a mano un bol lleno de agua con una rodaja de limón para humedecer el cuchillo.

CÓMO COMPRAR EL PESCADO

legir los mejores ngredientes, y los más rescos, es fundamental n la cocina japonesa, y anto los chefs que rabajan en los estaurantes, como quienes ocinan en casa, van liariamente a los mercados le pescado.

En el sushi, la frescura de los ingredientes es de una importancia capital. El pescado debería ser literalmente recién pescado; en Japón, en algunos restaurantes de sushi se llegan a cortar trocitos de peces vivos, que luego se devuelven a la pecera. Algunos mariscos y algunos tipos de pescados grasos pueden descongelarse y utilizarse para sushi si han sido congelados inmediatamente después de su captura; otros, retienen un exceso de agua o bien pierden su color, por lo que no son aptos para sushi.

Los ojos del pescado, que deberían ser claros y brillantes y no mostrar ningún rastro de hundimiento o de sangre. Las escamas deben estar intactas y brillantes. El color de las agallas debe ser de un rojo intenso, y la carne resistente y evidenciar su consistencia flexible al ser presionada con el dedo. Por encima de todo, no debería percibirse ningún olor fuerte a pescado. Una vez comprado el pescado, divídalo en filetes (véase la página siguiente) tan pronto como pueda. Después de cortarlo, el pescado debe consumirse inmediatamente o guardarse en el frigorífico. Si tiene que estar pocas horas, lo mejor es taparlo con un paño húmedo; si va a permanecer en el frigorífico hasta el día siguiente, utilice film transparente.

Si lo ha pescado usted mismo, al sacarlo del agua, haga una incisión detrás de las agallas y otra justo delante de la cola, y deje que se desangre; así, se conservará en hielo en condiciones óptimas.

Si compra pescado congelado, descongélelo tan lentamente como sea posible y, preferiblemente, de un día para otro y dentro del frigorífico. Si lo deja remojar en agua, se arriesga a perder buena parte del sabor; pero si tiene prisa, añada 2 cucharaditas de sal por cada 500 ml de agua si son peces de agua dulce y 1 cucharada de sal por cada 500 ml de agua en el caso de ser peces de agua salada.

El marisco debería estar vivo en el momento de comprarlo. El de concha, si está vivo, no flota en el agua y permanece cerrado.

CÓMO CORTAR EL PESCADO EN FILETES

Existen dos maneras de cortar un pescado en filetes para la preparación de sushi: *sanmai oroshi*, que se emplea con la mayoría de los pescados, exceptuando los planos, y *gomai oroshi*, que se aplica a pescados planos o grandes.

Técnica de las tres piezas
(Sanmai oroshi)

Si hay que retirar las escamas al pescado (si no lo requiere, se sirve con piel), sostenga la cabeza del pescado y escámelo por ambas caras; tenga cuidado, ya que la dirección del movimiento es hacia usted. Otra opción consiste en sostener el pescado por la cola. No lo sujete por el cuerpo, ya que la carne se estropearía y perdería su firmeza. Durante el proceso, lávelo con frecuencia en agua con un poco de sal.

1 Disponga el pescado con la cabeza apuntando hacia su izquierda. Con un cuchillo afilado, separe la cabeza del cuerpo cortando al bies.

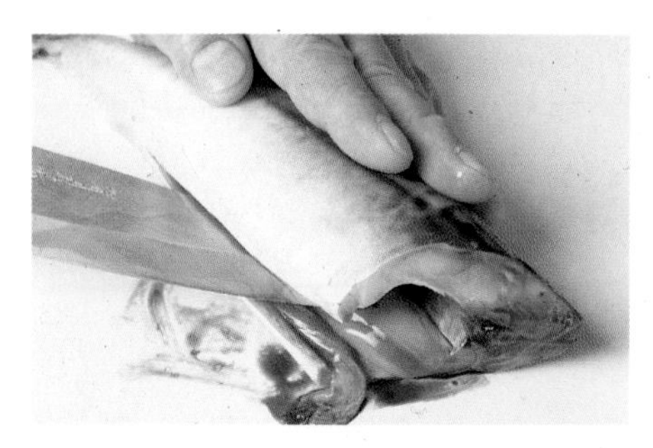

2 Abra el pescado por el vientre, deslizando el cuchillo hacia la aleta anal (o pelviana).

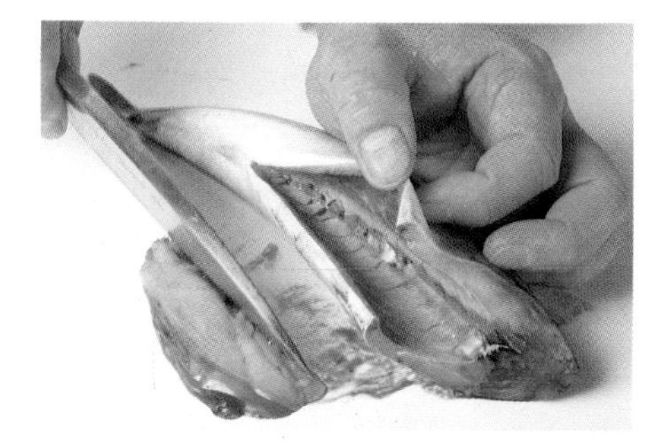

3 Retire el vientre y las vísceras.

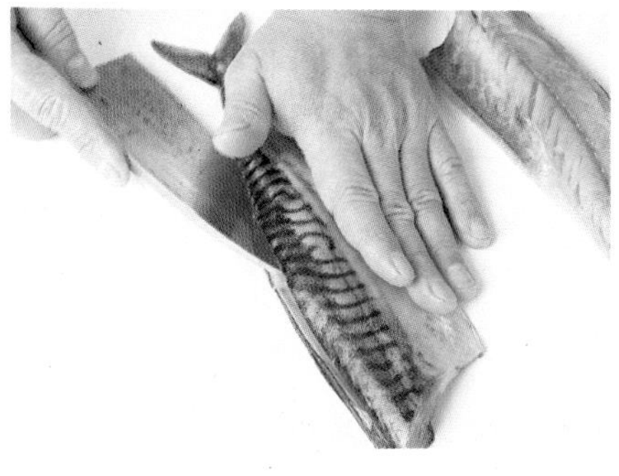

5 Dé la vuelta a la parte del pescado que aún tiene la espina, sujétela de nuevo con la mano izquierda y deslice el cuchillo entre la carne y la espina.

4 Sujetando el pescado con la mano izquierda, corte el primer filete abordando el pescado desde la cabeza hacia la cola; deslice el cuchillo entre la carne y la espina.

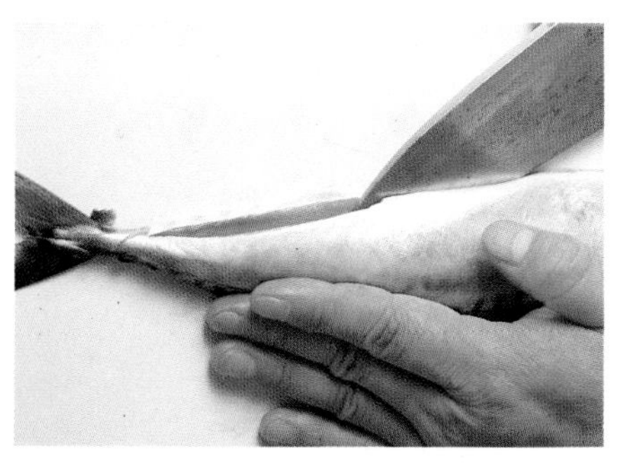

6 Dé la vuelta al pescado de nuevo y corte la cola por la base, liberando así el segundo filete. Retire las espinas con unas pinzas.

7 El pescado ha quedado cortado en tres piezas: el filete del flanco derecho, el del izquierdo y la espina. Si los filetes son muy grandes, córtelos en dos a lo largo o, por supuesto, aplique la técnica *gomai oroshi*.

CÓMO CORTAR EL PESCADO EN FILETES

Técnica de las cinco piezas
(Gomai Oroshi)

Existen dos variaciones de esta técnica. Una se utiliza para pescados planos, y la otra para peces grandes como el bonito. Con los pescados grandes, si se emplea el procedimiento *sanmai oroshi*, se corre el riesgo de estropear la carne al intentar separar filetes de la espina.

MODALIDAD 1: PESCADOS PLANOS

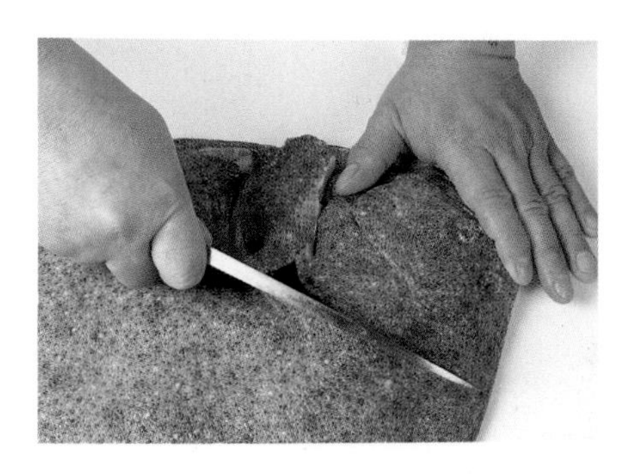

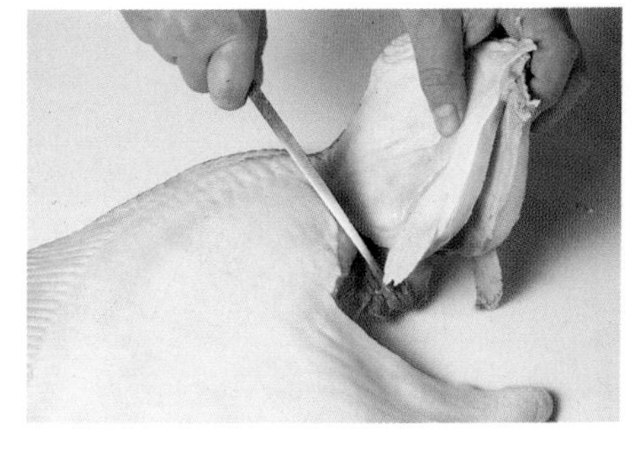

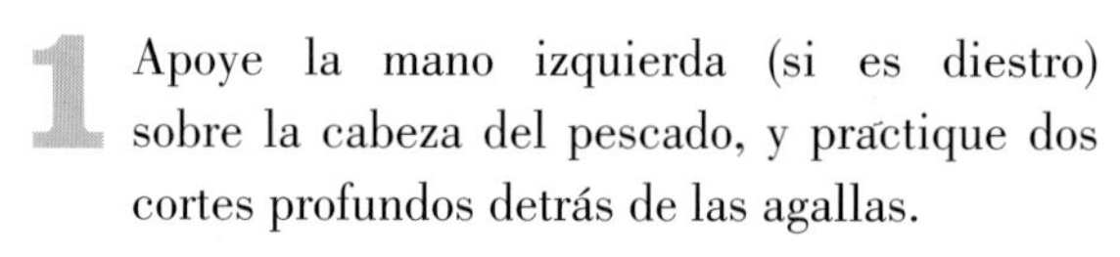

1 Apoye la mano izquierda (si es diestro) sobre la cabeza del pescado, y practique dos cortes profundos detrás de las agallas.

2 Dé la vuelta al pescado y separe la cabeza. Retire el estómago y las vísceras y lave bien el pescado en agua corriente fría.

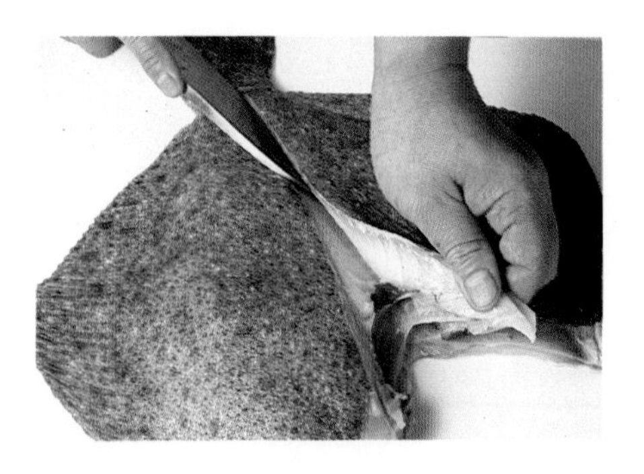

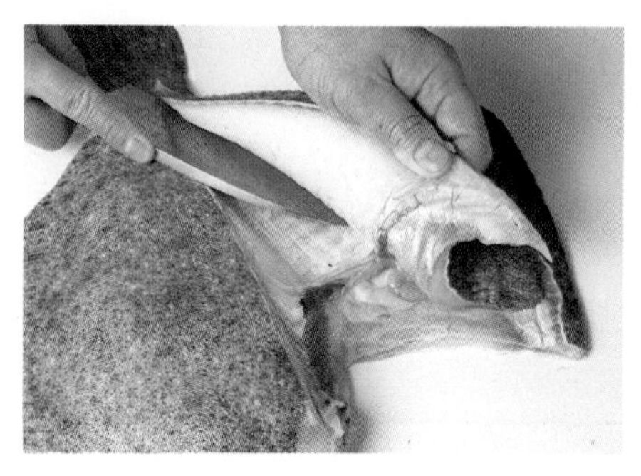

3 Dé la vuelta al pescado otra vez y divídalo en dos, cortando hasta la espina y desde la cabeza hacia la cola.

4 Manteniendo plana la hoja del cuchillo, pásela entre la carne y la espina, liberando así el primer filete.

5 Empezando por la cola, deslice el cuchillo siguiendo el borde exterior del pescado y separe el primer filete. Dé la vuelta al pescado y siga los pasos 3 a 5 para separar el segundo filete.

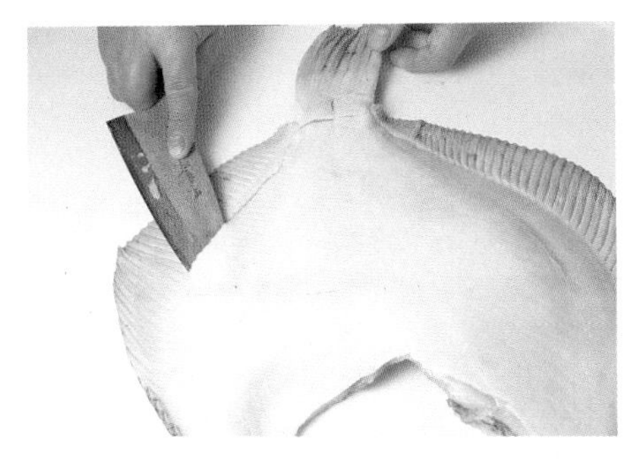

6 Dé la vuelta al pescado y separe los filetes del lado derecho e izquierdo respectivamente.

7 El resultado es un pescado cortado en cinco piezas, como se muestra en la fotografía. Le quedarán también cuatro piezas de *engawa*, la carne situada al lado de las aletas laterales. Es una carne muy apreciada pero escasa.

MODALIDAD 2: PESCADOS GRANDES

Si se trata de pescados grandes, como el atún o el bonito, se retiran las vísceras y la cabeza, y luego se siguen los pasos que se describen a continuación:

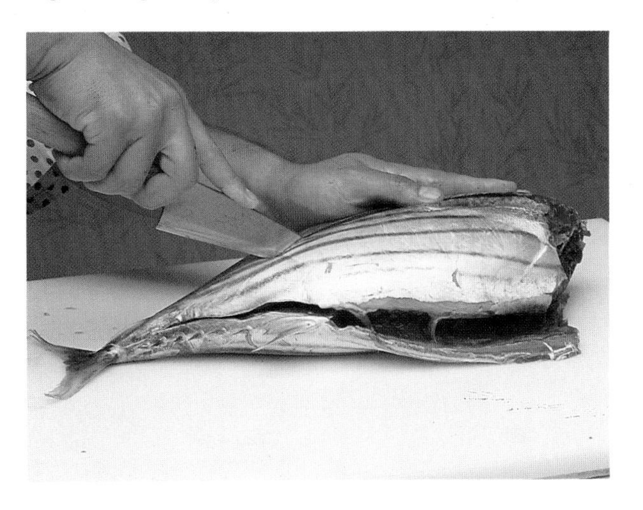

1 Divida un flanco en dos, deslizando el cuchillo desde la cabeza hasta la cola.

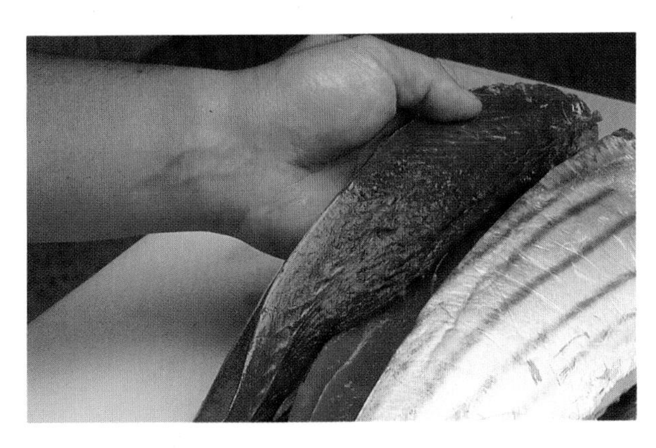

2 Practique otro corte, deslizando el cuchillo entre la carne y la espina. Separe el filete.

3 Retire el filete del vientre, cortándolo desde arriba. Repita las operaciones 1, 2 y 3 con la otra cara del pescado.

VERDURAS

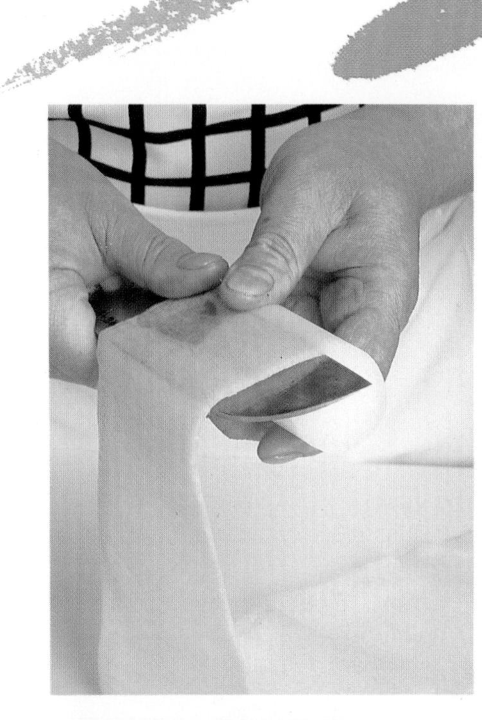

El daikon *y otras verduras se mondan formando una larga tira continua que se corta en bandas de 20 cm. Se colocan unas encima de otras y se cortan las verduras en juliana para decorar el plato.*

Daikon *en vinagre (rábano), pepino, aguacate, wakegi (cebolletas)y raíz de jengibre.*

Aguacate: La presencia del aguacate en el sushi es una innovación relativamente reciente. Queda delicioso en cualquiera de las variedades de *maki* (rollitos), y también se utiliza para añadir color.

Zanahorias (ninjin): La zanahoria se utiliza tanto por su valor culinario como por su color. Las zanahorias son uno de los principales ingredientes de los rollitos vegetales (pág. 50).

Pepino (kappa): El pepino es un ingrediente clásico de los rollitos de verduras, y también es ampliamente utilizado como guarnición (véanse pág. 40 y 41). El pepino japonés es más pequeño y menos acuoso que las variedades occidentales.

Daikon: A veces se le llama "rábano", pero en realidad es mucho más grande que el rábano rojo que conocemos en Occidente y de sabor más suave. Si tiene dificultades para encontrarlo, pruebe en tiendas indias o paquistaníes: en hindi se llama *mooli*.

Kampyo: Calabaza seca (véanse pág. 38 y 39).

Natto: Tipo de preparado de soja gelatinosa, que no es fácil de encontrar en Occidente.

Cebolla (wakegi): Las cebolletas se utilizan a veces en las formas más modernas de sushi. Un rollito *kasher* (página 82), por ejemplo, contiene salmón ahumado, requesón y cebolletas. Sin embargo, en general, la presencia de cebolla impide apreciar los delicados sabores del sushi.

Algas: En el sushi, el alga más frecuente es el *nori*, de color negro o verde oscuro. Se trata, de hecho, de una especie de papel fabricado a base de un tipo de lechuga de mar de tonalidades púrpura, que se utiliza para envolver el sushi. El *nori* pierde su aroma con gran rapidez a menos que se congele, en cuyo caso se conserva durante dos o tres meses. Antes de utilizarlo, tueste ligeramente la hoja de *nori* por una cara, para potenciar su aroma bastan unos 30 segundos sobre una llama de gas. Si se tuestan ambas caras, el *nori* pierde su sabor. El *ao-nori* es una versión en copos del mismo ingrediente. El *kombu* se utiliza para preparar el caldo del *dashi* (pág. 36 y 37).

Setas shiitake: se utilizan a veces en el sushi (pág. 38 y 39).

Es muy difícil conseguir wasabi *fresco (rábano picante japonés, o mostaza japonesa) como el que vemos en la fotografía fuera de Japón. Las alternativas son el wasabi preparado o el wasabi en polvo.*

OTROS INGREDIENTES

La salsa de soja de color oscuro es la que se utiliza en general para cocinar, mientras que la variedad más clara (a la derecha), se utiliza cuando no se desea dar color a los ingredientes.

Siempre que pueda conseguirlo, utilice su japonés (vinagre de arroz), aunque puede utilizar vinagre de sidra diluido como sustituto.

El mirin (sake con azúcar para cocinar) se vende ya preparado, en botella.

Tofu: La presencia de estos bloques de apariencia cremosa empieza a ser habitual en las tiendas de productos dietéticos y en algunos supermercados. En el *inari*, en cualquier caso, el tofu que se utiliza, es frito (páginas 60 y 61).

Hay quien utiliza tofu en sustitución del arroz en el *nigiri-zushi*; es muy saludable, pero su sabor apenas se aprecia. En este caso se recomienda emplear pescados con sabores fuertes y condimentos picantes.

Requesón: Un ingrediente muy poco japonés (los japoneses comparten con el resto de los orientales la idea de que es leche estropeada), pero que aparece cada vez más en distintos tipos de *maki*.

Huevos: La tortilla dulce *(tamago)* se hace con huevo de gallina (página 54). Los huevos de codorniz se utilizan como guarnición. Como entrante antes de beber *sake*, a veces se toma una yema de huevo de codorniz que se sirve en la taza de *sake*.

Katsuo-bushi: Estos copos de bonito seco se utilizan para preparar *dashi* (pág. 36 y 37).

Mirin: Conocido también como "sake dulce", tiene varios usos, incluyendo la cocción del arroz para sushi. Si no puede conseguir *mirin*, disuelva 120 g de azúcar en 120 o 250 ml de algún sake seco, caliente.

Miso: Pasta de soja fermentada. Las variedades más claras tienden a ser menos saladas y más dulces.

Ciruelas adobadas (ume-boshi): Se emplean a veces en el *maki* vegetariano.

Vinagre de arroz (su): El vinagre de arroz japonés tiene un sabor muy suave y el color dorado del trigo claro; no debe confundirse con el vinagre rojizo de arroz, ni tampoco con el oscuro, cuyos sabores son muy fuertes. Los vinagres de vino, sidra y malta son demasiado fuertes para la mayoría de los platos, aunque puede utilizarse vinagre de sidra diluido.

Salsa de soja (shoyu): Las salsas de soja japonesas son más delicadas que las chinas. Normalmente se utiliza la oscura (*koi kuchi shoyu*), distinta de la *usui kuchi shoyu*, de color más claro.

Azúcar: En el sushi, se utiliza en la preparación del arroz y para algunos tipos de glaseado.

El sake es la bebida alcohólica nacional del Japón y, después del auténtico té japonés, es el acompañamiento más adecuado para una comida japonesa.

EL DASHI Y LA SOPA

El *dashi* es un ingrediente fundamental en buena parte de la cocina japonesa y, aunque es menos frecuente en el sushi que en otros tipos de comida, se utiliza para cocinar algunos ingredientes y como sopa.

Dashi

Los ingredientes del *dashi* son sencillos: *katsuo-bushi* (copos de bonito desecado), *kombu* (algas) y agua. Tradicionalmente, el *katsuo-bushi* se compra en forma de bloque y se va "afeitando" a medida que se usa. Sin embargo, hoy en día la mayoría de la gente lo compra en copos.

- Las proporciones también son fáciles de medir en seco: 120 g de *katsuo-bushi* por cada 250 ml de agua y un cubito de 5 a 7'5 cm² de kombu.
- Llene un puchero con agua fría, añada el *kombu*, y llévelo a ebullición. En cuanto el agua empiece a hervir, retire el *kombu*, de lo contrario, el caldo se vuelve amargo y pierde su transparencia.
- Añada el *katsuo-bushi* sin remover y suba el fuego. Retire el puchero cuando el caldo empiece a hervir. Cuando los copos de *katsuo-bushi* dejen de flotar, el *dashi* está listo. Pase la sopa por un tamiz para retirar los copos; si no, el sabor a pescado sería demasiado fuerte. Tanto el *kombu* como el *katsuo-bushi* pueden reutilizarse para preparar un *dashi* con sabores más suaves.
- Varíe las cantidades de *katsuo-bushi* al gusto; las primeras veces, muchos occidentales utilizan menos cantidad. También puede gustarle mezclar el *dashi* con caldo de pollo, de buey e incluso con caldo de verduras.

El kombu *se compra en forma de tiras de alga seca, cuyo aspecto recuerda al del cuero. A pesar de que el* katsuo-bushi *tradicionalmente se vende en un bloque sólido que se va "afeitando", pero actualmente se compra en copos.*

Sopas

Aunque existen muchos tipos de sopa con una base de *dashi*, las que normalmente se toman con *sushi* son la *suimono* y la *miso-dashi*.

SUIMONO

Para preparar *suimono*, caliente *dashi* con un poco de tofu, pollo o pescado. Si utiliza tofu, no deje que la sopa llegue a hervir, ya que éste se desintegraría. Añada unos copos de algas o una cebolleta. La *suimono* clásica lleva una guarnición (*sui-kichi*) que varía según las estaciones, como hojas de pimienta.

MISO-DASHI

La sopa *miso-dashi* es bastante parecida, pero se espesa con 2 cucharadas de *miso* por cada 500 ml de *dashi*. Se puede añadir tofu, verduras o marisco.

Miso-dashi *con tofu y puerros en una bonita presentación.*

LA PREPARACIÓN DE KAMPYO Y SHIITAKE

El *kampyo* se prepara con la piel seca de la calabaza japonesa y se vende en tiras largas. Se usa en algunos *maki* (rollitos), en el *chirashi-zushi* (sushi variado) y en otras recetas.

Para reconstituir el *kampyo*, lave una pequeña cantidad en agua, frotando con la mano como si fuera un estropajo. Rebócelo con sal y déjelo en remojo un mínimo de dos horas o hasta el día siguiente. Para cocinarlo y adobarlo, prepare un *dashi* (pág. 36) sazonado con 1 cucharada de azúcar, 1 1/2 cucharadita de salsa de soja y un pellizco de sal por cada 250 ml de caldo. Hierva el *kampyo* en el *dashi* 10 minutos o hasta que se vuelva traslúcido y, después, cuézalo a fuego lento 5 minutos más.

Normalmente, las setas *shiitake* se venden secas. Su aroma es potente y son muy caras, pero son esenciales para conferir ese auténtico sabor japonés a algunos platos. Buena parte de su aroma se pierde al remojarlas, con lo que aumenta su peso. Una pequeña cantidad de setas *shiitake* secas cunde mucho.

Si tiene prisa, déjelas en remojo 30 ó 40 minutos; retire el corazón y los tallos, que son las partes más duras. Si las deja en remojo hasta el día siguiente, podrá utilizar las setas enteras y estarán más tiernas.

Para preparar y sazonar un plato de setas *shiitake*, prepare la siguiente receta:

INGREDIENTES

4 ó 6 setas *shiitake*, remojadas y escurridas.
Reserve 150 ml del agua de remojar
250 ml de *dashi*
unas gotas de *sake* (una cucharadita, aprox.)
2 cucharadas de azúcar
1 cucharada ó 3 cucharaditas de salsa de soja
1 cucharada ó 1 cucharadita de *mirin*

MÉTODO

- Mezcle el agua de remojar con el *dashi* y el *sake*. Lleve a ebullición en un cazo de fondo pesado y añada las setas. Reduzca el fuego y deje cocer lentamente unos 3 minutos, rociando con la salsa varias veces.
- Añada el azúcar y cueza a fuego lento hasta que el líquido se haya reducido a la mitad (en menos de 10 minutos). Incorpore la salsa de soja y deje hervir 3 ó 4 minutos más; agregue el *mirin*. Siga cociendo con el fuego muy fuerte, sacudiendo el cazo ocasionalmente, hasta que las setas queden recubiertas por una capa brillante.

Kampyo, *antes y después de su preparación.*

Setas shiitake.

GUARNICIONES

No es fácil trazar la línea divisoria que separa ingredientes y guarniciones, ya que todo lo que se sirve en una mesa de sushi constituye una unidad estética.
Kappa (pepino): El arte de cortar las verduras para preparar guarniciones es una parte esencial de la cocina japonesa. A continuación, se detalla una de las técnicas más exquisitas, el tallado en forma de "pino".

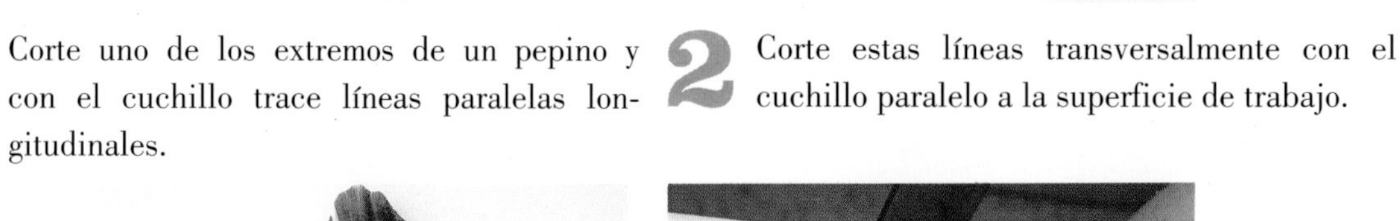

1 Corte uno de los extremos de un pepino y con el cuchillo trace líneas paralelas longitudinales.

2 Corte estas líneas transversalmente con el cuchillo paralelo a la superficie de trabajo.

3 Separe el corte hacia un lado.

4 Repita la operación, separando los cortes alternativamente a la derecha y a la izquierda.

5 Decórelo con huevas de trucha o de salmón para darle color.

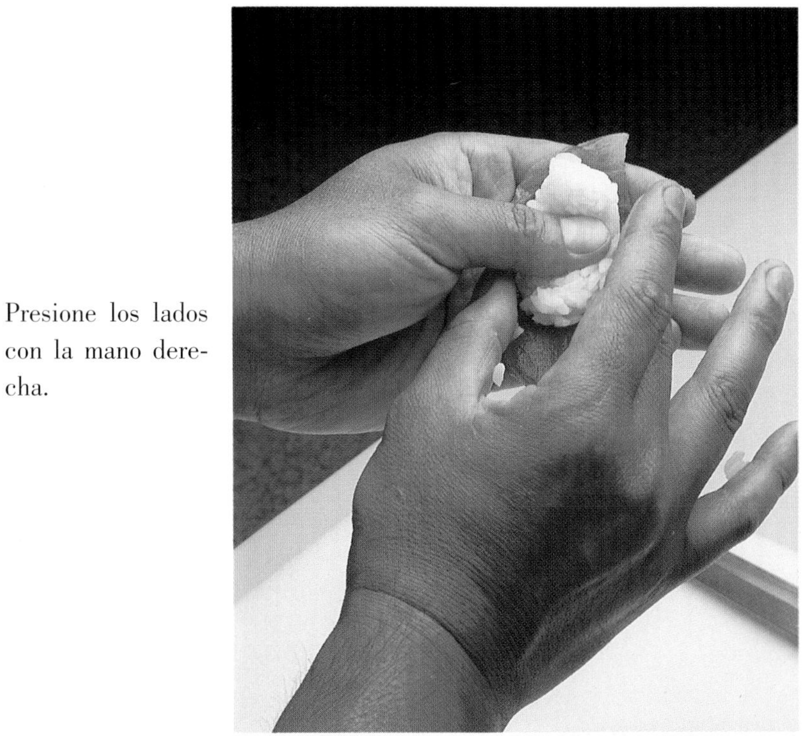

4 Presione los lados con la mano derecha.

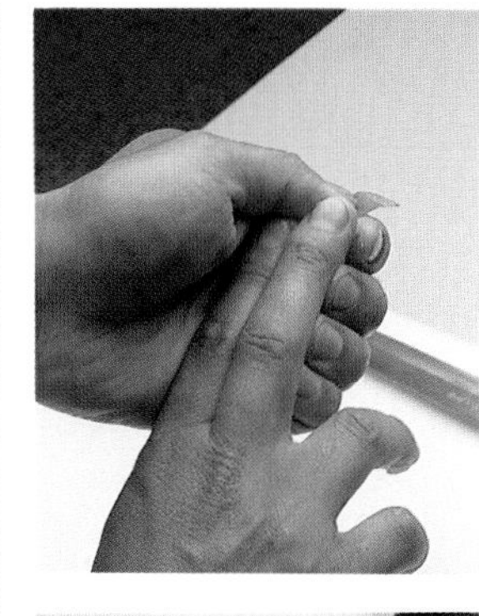

5 Cierre la mano izquierda envolviendo el sushi, con el pulgar en la posición que se muestra, y con los dos primeros dedos de la mano derecha allane el sushi.

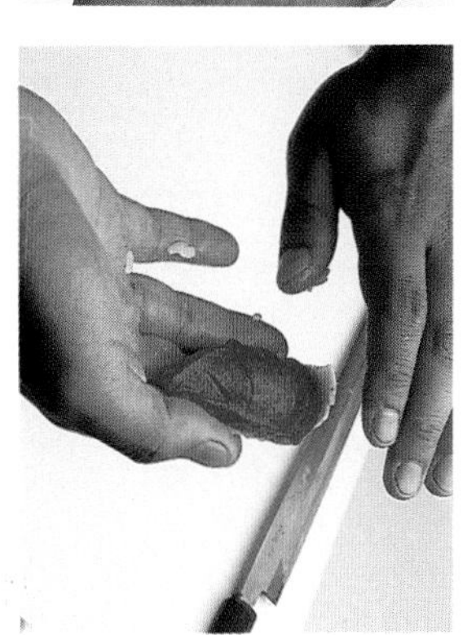

6 Cambie el sushi de mano.

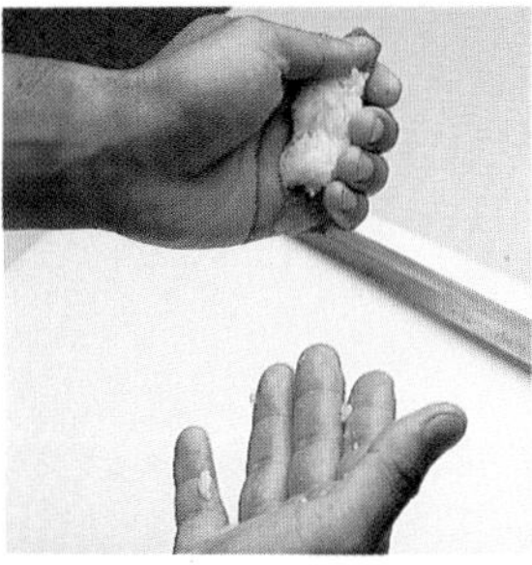

7 Al colocarlo en la mano izquierda, la cara que presionó con el pulgar debe quedar en el lado abierto de la mano.

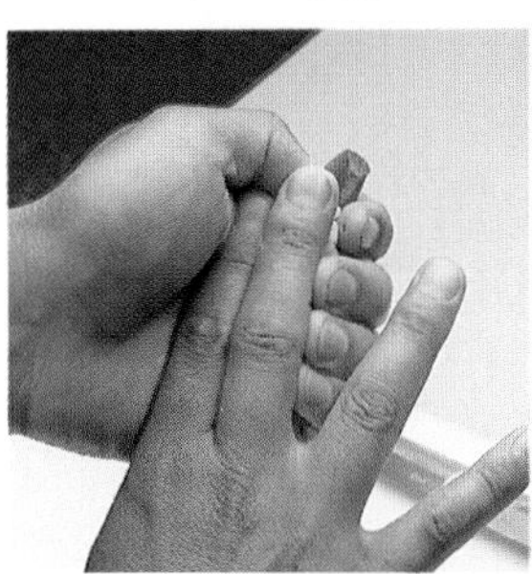

8 Repita el paso cinco. Con ello la otra cara del sushi quedará uniforme.

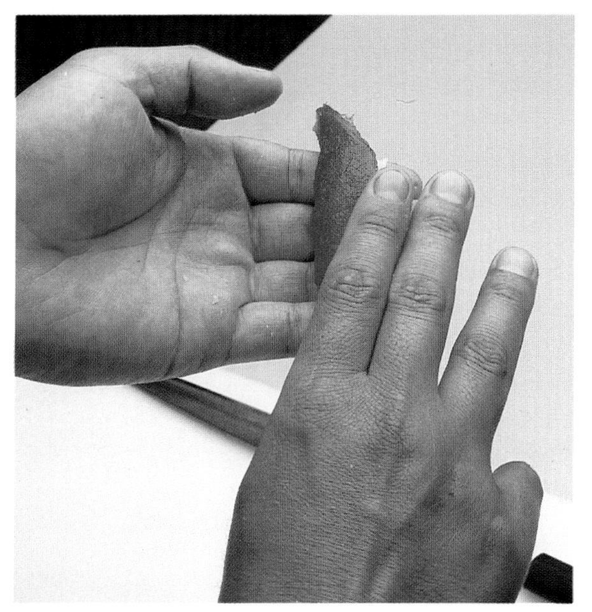

9 Hágalo rodar desde el hueco de la mano hasta los dedos, de tal manera que la cobertura quede en la cara superior.

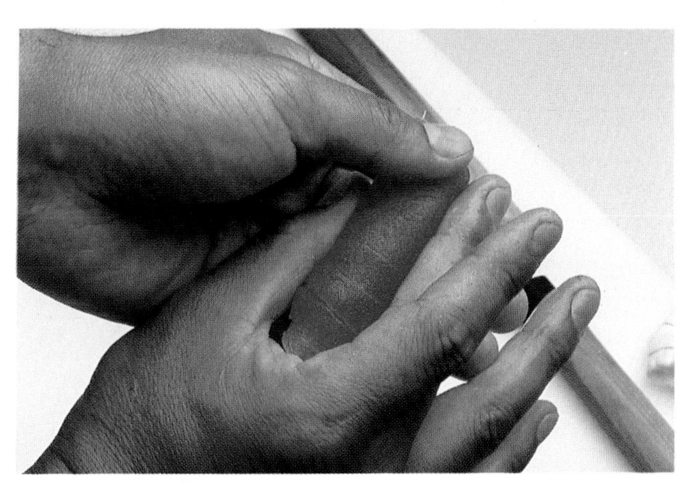

10 Presiónelo una vez más para que quede uniforme.

LA TÉCNICA DEL MAKI

El *gunkan-maki* ("sushi acorazado") ya ha sido mencionado, y la técnica que se utiliza para su preparación se detalla en la sección dedicada a las huevas de pescado (páginas 68 y 69).

El *temaki* se prepara con una tira de *nori* (papel de algas) que mide 2,5 cm de anchura, un poquito de arroz para sushi y distintos ingredientes que se colocan sobre el arroz. A continuación, se forma el rollito y se doblan los extremos de la misma manera que en el *gunkan-maki* (las páginas 88 y 89).

Otras formas de *maki* se preparan con la ayuda de un *makisu* (esterilla de bambú). Estos incluyen el *maki* pequeño u *hoso-maki*, que se explica en esta sección, el *futo-maki*, más grueso (página 56), el rollito "al revés", como el rollito de California (página 50) y el *maki* con guarnición, como el rollito del arco iris (página 66).

La técnica básica para la preparación del *hoso-maki* es la siguiente:

Al cortar un rollito, si hay ingredientes que puedan dificultar un corte limpio, como la zanahoria o el *kampyo*, córtelo como si rebanara una barra de pan, hasta que encuentre resistencia y, entonces, complete el corte de un golpe seco, ayudado por la mano que le queda libre.

1 Ponga media hoja de *nori* sobre el *makisu* y cúbrala con una capa de arroz de 1 cm de grosor, más o menos. Extiéndalo bien hasta llegar a los bordes laterales, pero deje un margen en los extremos superior e inferior del *nori*.

2 Disponga la cobertura, que a menudo incluirá varios ingredientes, sobre el arroz. Lo que se ve en la fotografía es raíz de bardana, que es picante y crujiente (se puede encontrar en lata en algunas tiendas orientales). Aquí también se utiliza *goma* (semillas de sésamo) para añadir sabor pero si se estuviera preparando un rollito de pescado, se utilizaría *wasabi* (rábano picante japonés).

3 Enrolle el *maki* con el *makisu*, empezando por el extremo más próximo a usted.

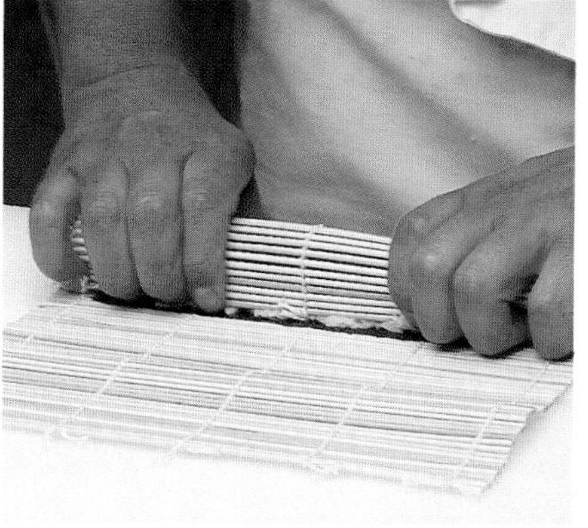

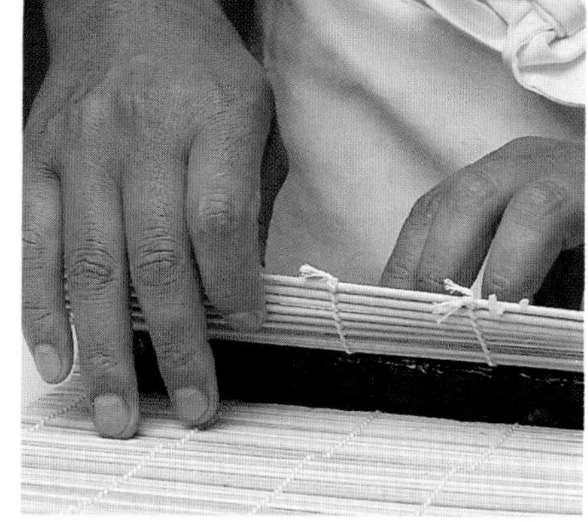

4 Deje de enrollar justo antes de dar una vuelta completa al rollito, tirando del extremo del *makisu* para apartarlo del paso.

5 Acabe de formar el rollo con el *makisu*. Prense el rollito; hay quien le da una forma cuadrada, mientras que otros lo prefieren redondo.

6 Presione los extremos para que se vea ordenado.

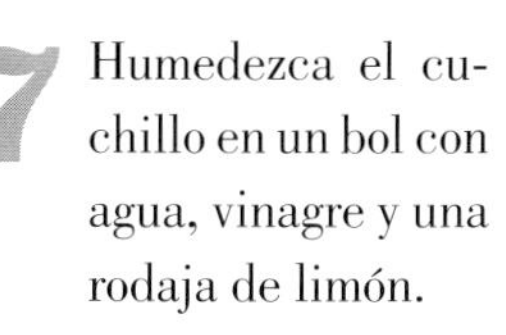

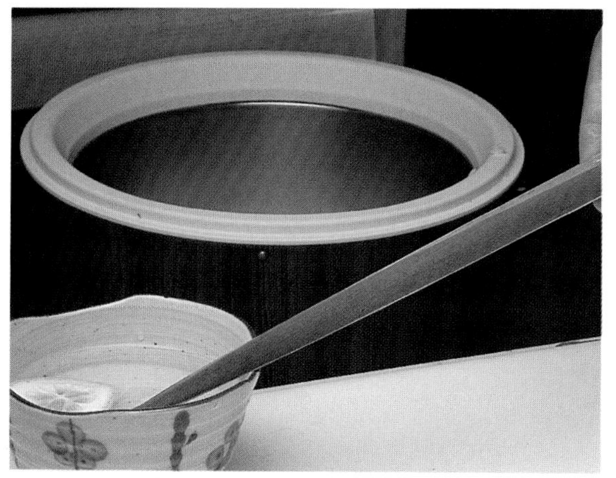

7 Humedezca el cuchillo en un bol con agua, vinagre y una rodaja de limón.

8 Golpee suavemente el mango del cuchillo contra la mesa para que el agua con vinagre se esparza por la superficie de la cuchilla.

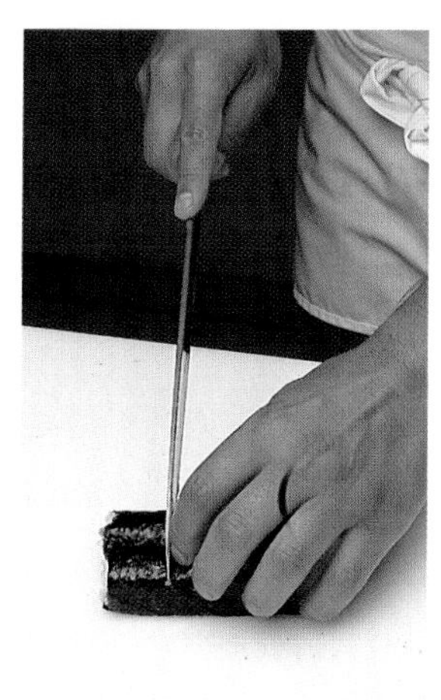

9 Corte el rollito en dos y disponga las dos mitades, una al lado de la otra.

10 Divida cada mitad en tres partes iguales hasta obtener 6 porciones.

1 El aspecto del *awabi* no es muy prometedor.

2 Corte las partes de la boca.

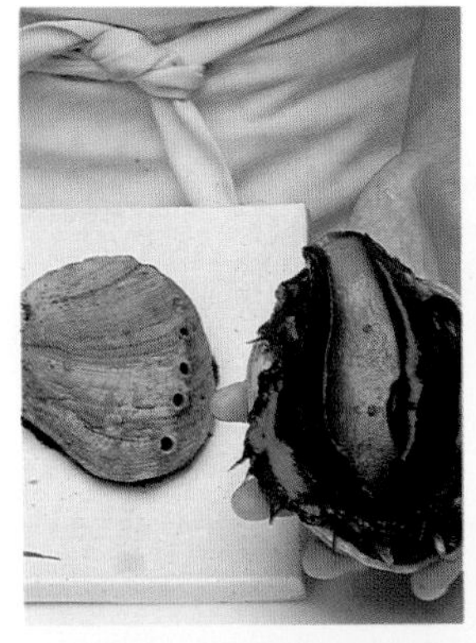

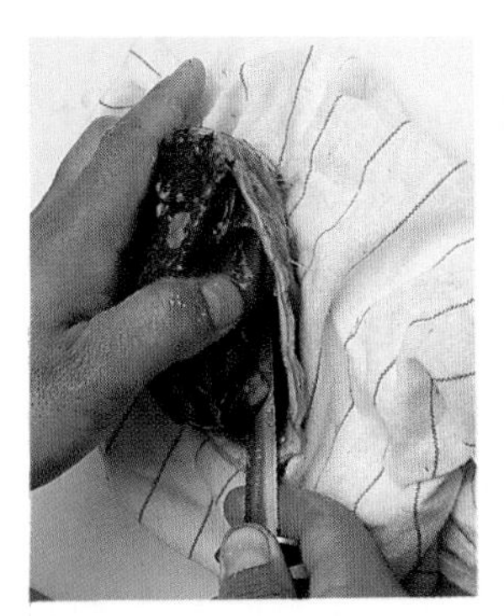

4 Separe el *awabi* de la concha con un cuchillo bien afilado.

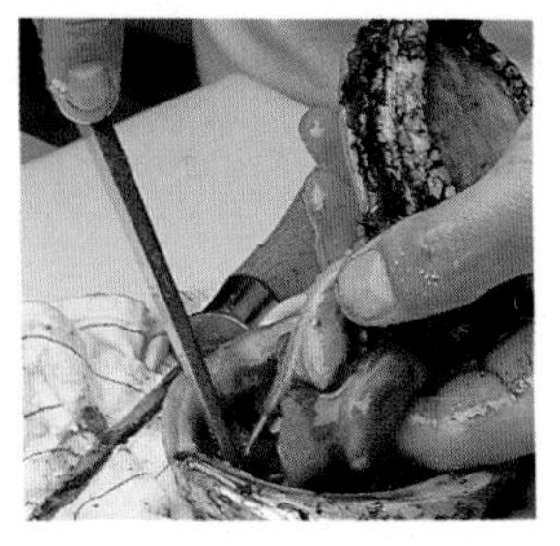

5 Retire las entrañas. El estómago, que se corta en láminas y se come crudo, mezclado con *ponzu* (vinagre cítrico; página 58) y un poco de cebolleta, se considera un manjar exquisito. Hay quien se come incluso el resto de las entrañas, aunque lo más frecuente es que se cocinen.

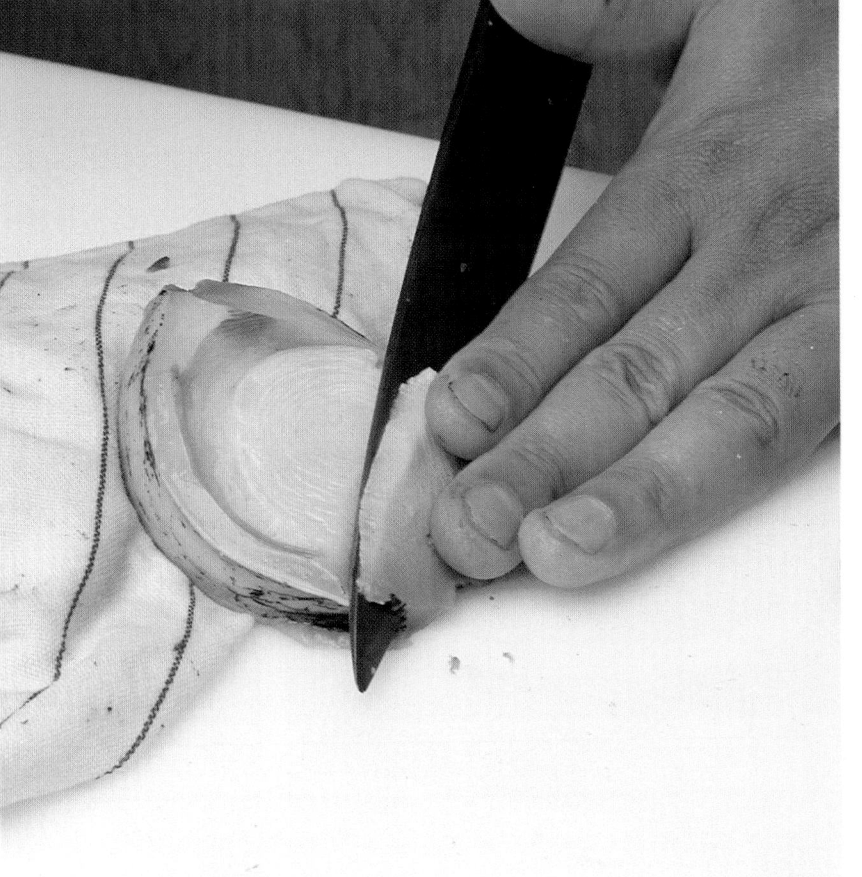

3 Espolvoree gene rosamente con sa Golpee la conch suavemente contr la superficie d trabajo, para ase gurarse de que l sal penetre bie por todos lados.

6 Limpie el cuerp del *awabi* con u cepillo y mucha sa Ahora está perfecta mente limpio.

7 Retire la parte o cura que rodea l bordes de la carn Si la oreja marin es grande, esta pa te es demasiad correosa para s comestible.

8 Si el *awabi* es sufi cientemente gran de, separe el pe queño músculo d la parte superio que se consider una exquisitez. E caso contrario, có telo todo en lám nas, al bies.

LA OREJA MARINA (awabi)

El *awabi* (la oreja marina) se considera una de las mayores exquisiteces del sushi. Hasta los años cincuenta, normalmente se cocinaba, pero actualmente su forma más apreciada es el *awabi* fresco, crudo.

Cuanto más pequeño sea el *awabi*, más tierno será. Los que miden 10 cm o menos pueden cortarse en láminas enteros; si no, se preparan como se describe.

La presencia de la oreja marina se advierte en varios mares templados y tropicales y, especialmente, los que rodean las costas australianas. También se encuentran en toda la costa oeste de América y, en alta mar, en las costas japonesas, las islas anglonormandas, la costa oeste de Francia y en el Mediterráneo, así como en China y las islas Canarias. Se supone que están en su mejor punto durante los meses de abril, mayo y junio. Habitan en el lecho marino, cerca del *kombu* y el *nori*, de los que se alimentan (un ejemplo claro de predestinación).

1 Cubra media hoja de *nori* (papel de alga) con una capa fina de arroz (1 cm de grosor, aproximadamente). Espolvoréelo con semillas de sésamo.

2 Dé la vuelta a la hoja y unte el *nori* con un poco de *wasabi* (rábano picante japonés).

3 Primero se añade pepino cortado en finas tiras y aguacate en el centro.

4 El contenido se completa con carne de cangrejo.

5 Forme un rollito con los dedos.

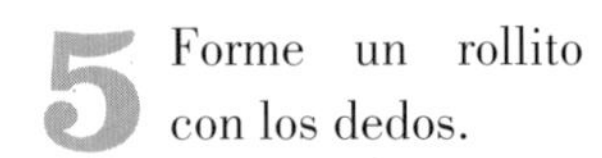

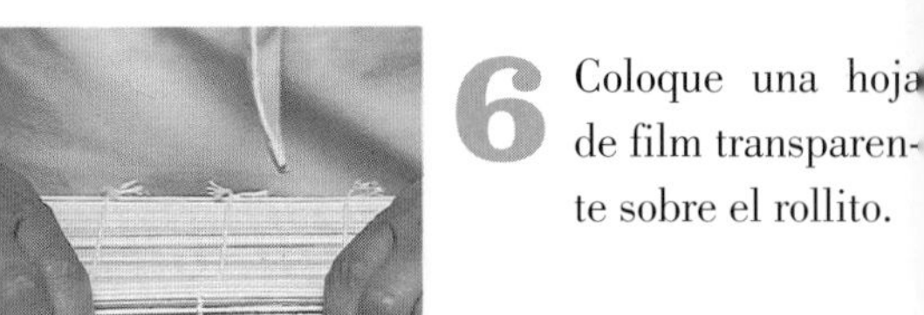

8 No es esencial incluir una guarnición a base de huevas de algún pescado de la familia de la trucha o el salmón, pero con ello el rollito gana en color.

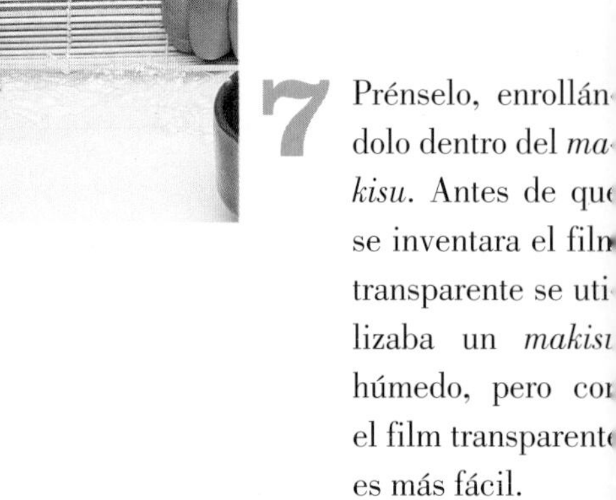

6 Coloque una hoja de film transparente sobre el rollito.

7 Prénselo, enrollándolo dentro del *makisu*. Antes de que se inventara el film transparente se utilizaba un *makisu* húmedo, pero con el film transparente es más fácil.

ROLLITO DE CALIFORNIA Y ROLLITO DE VERDURAS

El rollito de California no es precisamente una receta clásica de sushi. Sin embargo, es muy popular en la costa oeste de Estados Unidos y ha ido ganando adeptos también en Tokio y en otras partes del mundo. Se trata de una mezcla de texturas: cangrejo hervido, aguacate y pepino. Y es interesante para quienes desean probar el sushi, pero no se sienten muy atraídos por la idea de comer pescado crudo.

Aunque se puede preparar un rollito *hoso-maki* de este tipo, no queda mucho espacio en el centro para el relleno.

Los rollitos "al revés" de verduras son más tradicionales que los de California, pero también menos populares en Occidente. En lugar del relleno de pepino, aguacate y cangrejo, los ingredientes tradicionales son el pepino o el *kampyo* sazonado (pág. 34 y 35), aunque quizás desee probar otros ingredientes, como zanahorias, tirabeques o requesón.

Al servir, el rollito de California se corta en seis porciones. Las dos porciones de los extremos se colocan normalmente en el medio, con la cara exterior hacia arriba.

MARISCOS

En Japón se aprecian distintas variedades de mariscos, que sin embargo no reciben la misma consideración en el mundo occidental.

El *akagai* (arca japonesa) también se conoce como el "rey del marisco" y su precio hace justicia al rango que se le asigna. Únicamente los sitios más caros lo adquieren fresco y en muchas partes del mundo sólo se vende congelado o envasado.

El *akagai* fresco mide entre 7,5 y 10 cm de largo y normalmente se lava en vinagre antes de cortarlo. Se aprecian especialmente algunas partes del animal, incluyendo el músculo abductor *(hashira)* y los filamentos hilosos que unen la carne a la concha *(himo)*. La coloración roja es debida a la hemoglobina, el mismo agente que confiere color a la sangre humana.

La *aoyagi* (mercenaria) también se conoce por el nombre de *bakagai* o "almeja tonta". Antes, se cocinaba mínimamente, pero actualmente se come cruda. Al igual que con el *akagai*, el músculo abductor es muy apreciado.

El largo sifón muscular del *mirugai* (almeja de can) también se utiliza en el sushi. A veces el *himo* se come crudo, pero el resto de la carne sólo es adecuada para sopa o relleno. El *miru-kui* o *miru-gai* se pesca en alta mar, en las costas japonesas y en la costa noroeste de Estados Unidos.

También se aprecia mucho el músculo del berberecho *(tori-gai)*. Su nombre proviene de la parte oscura de la carne, de la que se dice que parece el pico de un pollo, y también de su sabor, que según algunos recuerda también al del pollo. *Tori* significa "pollo" y *kai* (que cambia a *gai* cuando forma parte de una palabra compuesta), significa "marisco". Los berberechos se asocian tradicionalmente con la gamba en el *edomae chirashi-zushi*.

Se pueden preparar muchos tipos de marisco de esta manera: pida consejo en su pescadería sobre las variedades de temporada. Los moluscos bivalvos de pequeño tamaño, como las almejas u otros más pequeños, se utilizan a menudo enteros en *gunkan-maki*; los más grandes se cortan en láminas y se sirven crudos o cocinados.

1 *Miru-gai* significa "animal que hay que ver", o también "cosa extraordinaria". Retire el sifón y vierta agua hirviendo por encima, para que se suelte la piel.

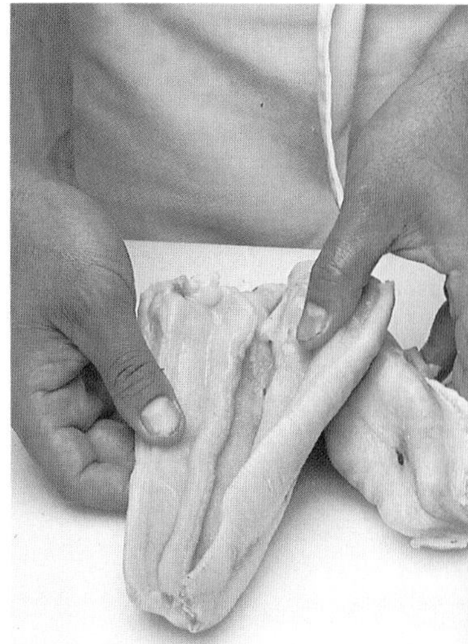

2 El sifón, una vez limpio y retirada la piel, tiene un aspecto más apetitoso.

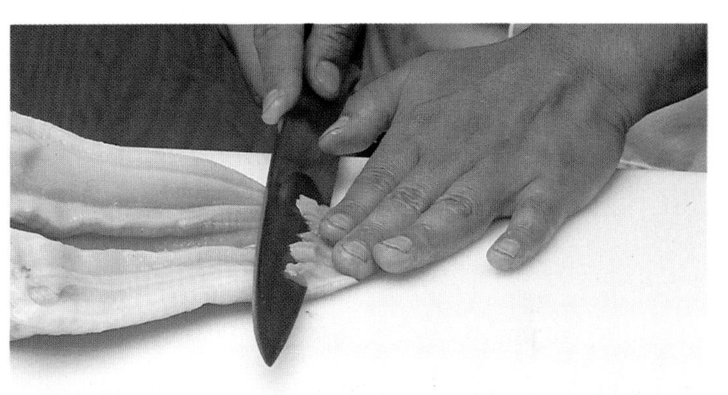

3 Al igual que otras veces, se corta la carne al bies y luego se golpea con la parte del cuchillo que está más cerca del mango para ablandarla.

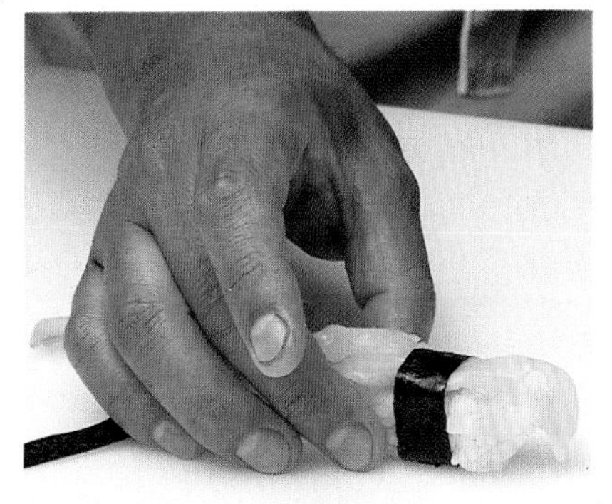

4 La cinta de *nori* que se ata alrededor del sushi se utiliza sólo para sujetar la ración con mayor comodidad. Como otros pescados que son resbaladizos al tacto, el *mirugai* se desprendería del arroz.

TORTILLA (tamago)

El *tamago*, una tortilla dulce que se cocina en una sartén rectangular, se come tradicionalmente al final de una comida de sushi como si fuera un postre. Mezcle los siguientes ingredientes en un bol (no intente reducir las cantidades, una tortilla de 10 huevos sería incluso más fácil de preparar).

INGREDIENTES

775 ml de *dashi* (véanse páginas 32 y 33)
75 g de azúcar
1 cucharadita y 1/2 de salsa de soja
1 cucharadita y 1/2 de *sake*
1/2 cucharadita de sal
5 huevos
aceite vegetal para freír

PREPARACIÓN

- Mezcle los primeros tres ingredientes a fuego lento, removiéndolo todo hasta que se haya disuelto la sal y el azúcar. Deje enfriar el caldo a temperatura ambiente.
- Bata los huevos, intentando evitar en la medida de lo posible que se formen burbujas de aire; la mezcla no debe quedar esponjosa.
- Mezcle los huevos batidos con el caldo que ha dejado enfriar
- Vierta una cuarta parte de la mezcla en una sartén bien untada con aceite e incline la sartén para que el huevo se extienda por toda su superficie. Espere a que empiece a cuajar, pinchando con un palillo largo cualquier burbuja que se forme; aquí se acentúan las diferencias con la tortilla occidental.

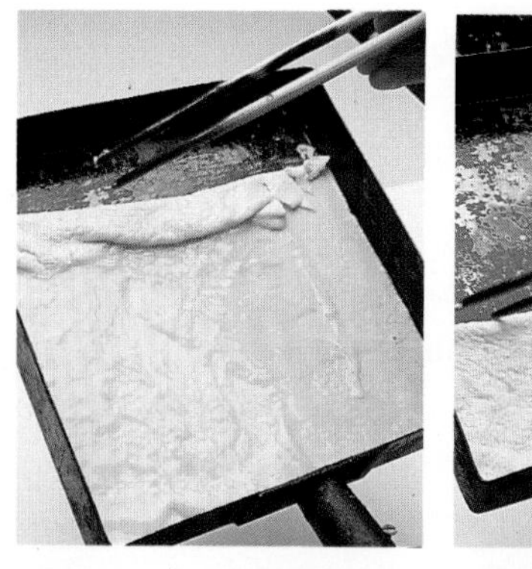

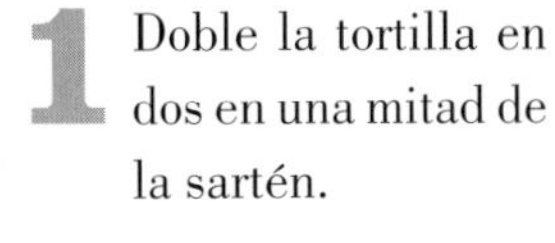

1 Doble la tortilla en dos en una mitad de la sartén.

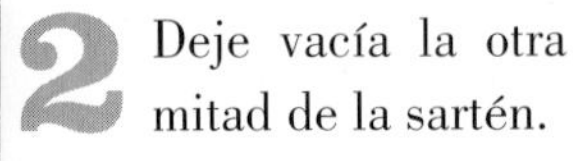

2 Deje vacía la otra mitad de la sartén.

3 Unte con aceite esta parte de la sartén.

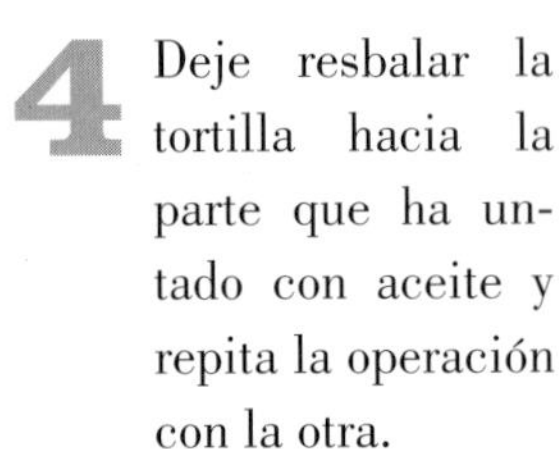

4 Deje resbalar la tortilla hacia la parte que ha untado con aceite y repita la operación con la otra.

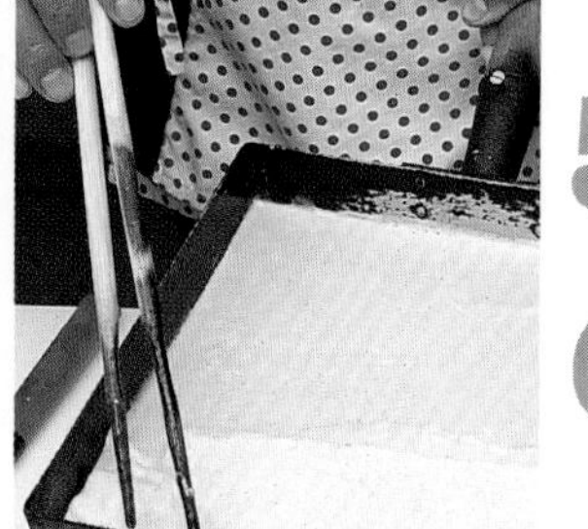

5 Vierta la misma cantidad de mezcla.

6 Levante los bordes de la tortilla para que la mezcla cruda se extienda.

7 Cuando esté cuajada, dóblela y repita el proceso, añadiendo la siguiente cuarta parte de la mezcla; finalmente, repita la operación con la cantidad restante.

8 Mantenga el bloque entero en el fuego durante unos momentos más para que se caramelice el azúcar de la superficie, y déjelo enfriar en un lugar llano. Después córtelo en 8 "ladrillos".

El tamago-zushi *consiste en una ración de tortilla dulce, normalmente atada al arroz por un "cinturón" de* nori *(papel de alga). Otra alternativa, más tradicional, consiste en servir dos porciones por persona, con una guarnición de daikon rallado y bien escurrido.*

ROLLITOS GRANDES (futo-maki)

Los rollitos *futo-maki* pueden llevar prácticamente cualquier cosa en su interior, aunque suelen ser vegetarianos. La principal diferencia entre estos rollitos y los *maki*, más pequeños, es su tamaño y el hecho de que el *nori* se enrolla formando una espiral.

Los ingredientes típicos incluyen espinaca hervida, pepino, *kampyo* (calabaza seca), setas *shiitake* en láminas, *tamago* (tortilla dulce), brotes de bambú y raíz de loto. También existe un pescado llamado *oboro*, que se adquiere ya listo, o puede prepararse en casa.

Oboro

Para preparar *oboro* en casa, hierva algún pescado blanco; después retire la piel y las espinas. Escúrralo presionándolo, envuelto en un paño y májelo en un mortero (o utilice un robot de cocina, aunque el resultado no será exactamente el mismo) añadiendo unas gotas de cochinilla u otro colorante rojo comestible, para que el *oboro* adquiera un color rosado. Cueza la pasta en una sartén de fondo pesado con pequeñas cantidades de azúcar, sake y sal, removiendo constantemente hasta que se haya evaporado todo el líquido.

1 Utilice una hoja entera de *nori* (papel de alga), en lugar de la mitad. Cubra toda la hoja, exceptuando uno de los extremos, en el que dejará 1 cm de margen. Sobre esta tira de *nori* sin cubrir, maje un par de granos de arroz para que actúen como un adhesivo. Forme bandas con todos los ingredientes que desee, paralelas al lado más largo de la hoja. Aquí se empieza por las espinacas.

2 Luego se ha añadido *tamago* (tortilla dulce) y *oboro*. Por último, se ha utilizado *kampyo* (calabaza seca).

3 Enrolle el *futo-maki* con los dedos cuidadosamente. Los bordes laterales del *nori* se doblan hacia dentro.

4 Prense el rollito con el *makisu*, presionando los extremos. También puede dar forma ovalada o cuadrada al *futo-maki*. Al servir, divídalo en dos, junte las dos mitades y córtelas en 4 segmentos.

HALIBUT (hirame) Y SALMÓN (sake)

En el sushi se sirven distintas variedades de pescados planos, aunque todos de la misma manera. Dependiendo del área geográfica en la que viva, pescados muy similares o idénticos recibirán indistintamente los nombres de halibut, lenguado o platija, a pesar de que el halibut es normalmente bastante mayor. En los bares de sushi, los pescados planos aparecen a veces bajo la denominación de "lenguado".

El pescado plano japonés es pequeño, más bien como la platija o el lenguado, pero el *hirame* (halibut), que es mayor, se prepara de la misma manera y de él se obtiene mucho más *engawa* (la carne que está al lado de las aletas, que es muy preciada; página 29).

Se supone que la mayoría de las especies están en su punto durante el invierno. El otoño es la segunda mejor estación del año.

La carne del pescado puede cortarse en lonchas y servirse como *nigiri-zushi*, sin más preparación. Puede marinarse en una mezcla de cebolleta, *momigi-oroshi* (pasta de guindilla en vinagre) y *ponzu* (vinagre cítrico).

El *ponzu* se vende en tiendas japonesas, pero puede preparar un sustituto añadiendo 250 ml de zumo de naranja y el zumo de 1 limón a 1 l de *su* (vinagre de arroz).

En el Restaurante Yamato, el *ponzu* no se utiliza siempre solo. Para preparar una salsa muy útil que puede utilizarse con pescado, o como base para una sabrosa sopa (*suimono*), lleve a punto de hervor 1 litro de *ponzu* con *kombu* y *katsuo-bushi* (página 36), añada un volumen equivalente de salsa de soja y 125 ml de *mirin*; luego páselo por el colador.

Cuando el salmón se sirve como *sashimi*, la presentación es básicamente la misma que para los pescados planos. En Japón raramente se come salmón crudo, aunque seguramente es popular en muchos otros países. El bacalao y el bacalao de roca pueden servirse de la misma manera. También el tiburón puede prepararse siguiendo las mismas técnicas, aunque su sabor a pescado es demasiado intenso para muchos.

Hirame *y salmón, servidos como* nigiri-zushi.

IWASHI
UGUI
IKANAGO
SABA
TAKO
HAMO
IWASHI

TOFU FRITO (inari)

El *inari* son unas pequeñas bolsas de tofu sin demasiado sabor, que primero se fríen y luego se cuecen a fuego lento. Se rellenan con arroz para sushi, con o sin sésamo, y con o sin *gari* (jengibre en vinagre). Se trata de un sabor que hay que aprender a apreciar, pero es barato y se conserva bien, y por ello es popular como comida ligera que se compra ya preparada.

El *age* (las bolsitas de tofu que contienen el relleno) se compra ya frito y puede encontrarse en algunas tiendas orientales. Se estropea muy rápido a menos que se congele. Primero sumerja el *age* en agua hirviendo durante unos segundos para eliminar el exceso de aceite. Escurra las bolsas y séquelas con papel absorbente. Todavía calientes, córtelas en dos.

Coloque media bolsita sobre la palma de una mano y déle un golpe seco con la otra para que se despeguen las paredes. Ábrala cuidadosamente para rellenarla.

INGREDIENTES PARA EL CALDO EN EL QUE SE CUECE EL AGE

Esta cantidad de caldo es suficiente para 8 bolsitas:

125 ml de *dashi* (página 36)
120 g de azúcar
3 cucharadas de salsa de soja
2 cucharadas de sake

MÉTODO

- Mezcle todos los ingredientes en un cazo grande y caliéntelos hasta que se disuelva el azúcar. Cueza las bolsitas en este líquido de 6 a 7 minutos y rocíelas con el caldo. Escúrralas una vez enfriadas a temperatura ambiente.

El término *inari* viene de las leyendas populares. Existía un zorro que vigilaba los templos del dios Inari, y de él se decía que le gustaba comer *age*, por lo que el sushi hecho a base de *age* recibe este nombre. Por esta leyenda, el inari se llama a veces "sushi del zorro".

1 Abra la funda, ya cocida.

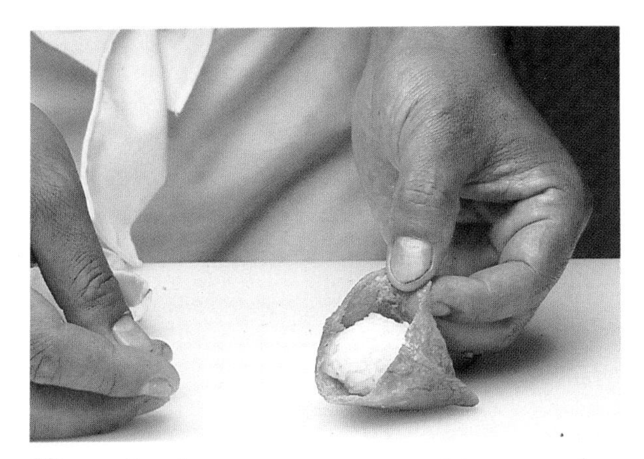

2 Rellénela con arroz para sushi, apretando hacia dentro con el dedo pulgar.

3 Sirva el *inari* con la costura hacia abajo.

LA CABALLA (saba) Y EL SÁBALO (kohada)

La *saba* (caballa) y el *kohada* (sábalo), de la familia del arenque, se preparan básicamente igual. Ambos son ejemplos de *hikari-mono* –"cosas que brillan"– o pescados de piel plateada, normalmente marinados.

El *kohada* se presta a confusión, ya que cambia de nombre a medida que madura: primero se llama *kohada*, luego *nakazumi* o *shinko* y cuando alcanza la madurez completa, *konoshiro*.

Tanto el *saba* como el *kohada* se cortan en filetes siguiendo la técnica de las tres piezas (página 28). Los filetes se salan generosamente y luego se dejan reposar durante unas cuatro horas *(saba)*, o durante una o dos horas *(kohada)*. Antes de proceder al paso siguiente, se lava el pescado para retirar la sal.

A continuación, se marina en vinagre previamente endulzado con 2 cucharadas de azúcar por cada 250 ml de vinagre. Normalmente, el *saba* se marina 30 minutos o 1 hora, aunque hay quien prefie-re hacerlo más tiempo: un día entero o más. El *kohada* se marina menos rato, quizás unos 15 minutos.

En general, cuanto más fresco sea el pescado, menos tiempo se deja marinar: el *kohada* recién pescado, puede dejarse en sal durante sólo 30 minutos y marinarse en 5 ó 10 minutos.

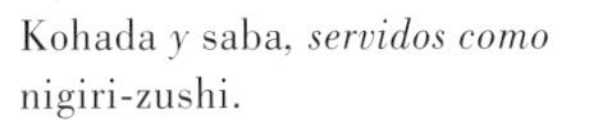

Kohada *y* saba, *servidos como* nigiri-zushi.

1 El *saba*, más grande que el *kohada*, habitualmente se deja en sal y se marina durante más tiempo.

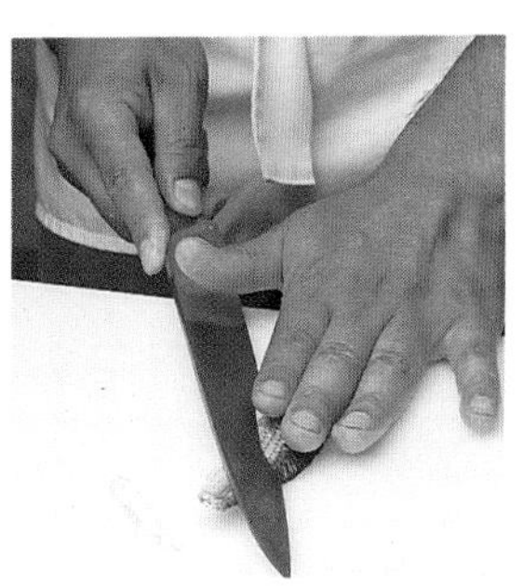

2 A diferencia del *saba*, que normalmente se corta en varias lonchas, el *kohada* se corta en dos piezas.

3 Se suele conservar la piel del pescado para que se aprecie el contraste entre la piel plateada y el color de la carne.

Otras variedades típicas de *hikari-mono* incluyen el *sayori* (agujeta) y el *kisu* (agujeta austral). Entre varios ejemplos de pescados frescos podríamos mencionar el arenque, la sardina, el boquerón, la sardina japonesa y el eperlano.

Normalmente las lonchas de tako *se fijan al arroz con un "cinturón" de* nori *(papel de alga). Ello no obedece a cuestiones de sabor, sino que se hace para evitar que puedan resbalar y desprenderse del sushi.*

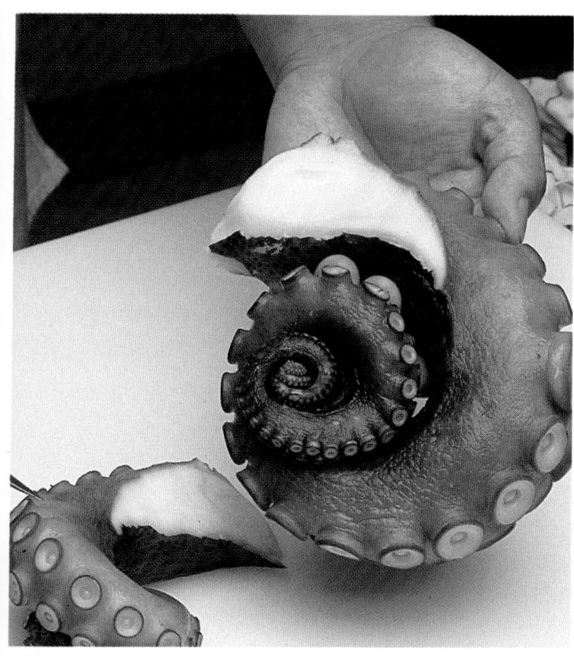

1 Incluso los tentáculos de gran tamaño sirven para preparar un buen sushi.

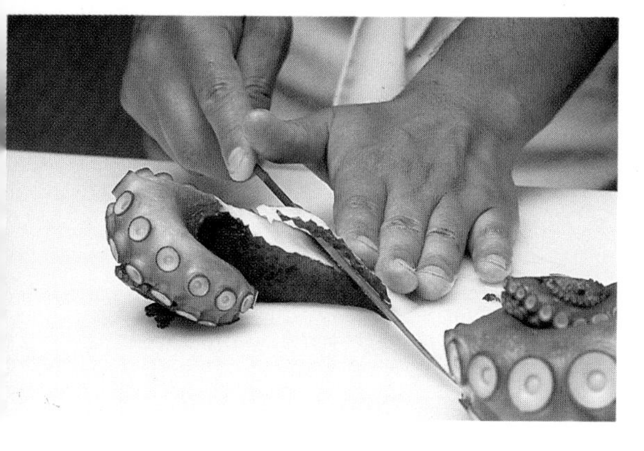

2 Corte los tentáculos al bies. Con un cuchillo afilado colocado de lado a lado, podrá cortar una pieza mejor.

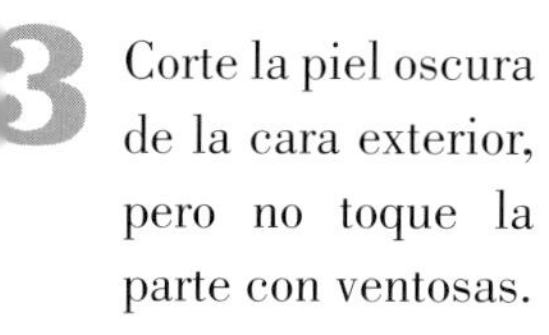

3 Corte la piel oscura de la cara exterior, pero no toque la parte con ventosas.

PULPO (tako)

El *tako* (pulpo) *siempre* se cuece un poco; nunca se sirve crudo. Para conseguir *tako* realmente fresco, lo mejor es empezar por uno que todavía esté vivo, o que sepamos que no lleva demasiado tiempo sin vida. Al igual que sucede con el marisco, si el *tako* se ha estropeado, sus efectos sobre nuestro organismo pueden ser desagradables, aunque no es precisamente fácil determinar el grado de frescura de un *tako*. Busque alguno con la piel moteada en tonos grises claros y tentáculos que den muestras de flexibilidad al ser sacudidos.

Preparar *tako* no es tan difícil (ni tan desagradable) como pueda parecer. Las entrañas están en la cabeza, que hay que girar para limpiar su interior; al cortar los ojos y el pico, lo mejor es utilizar unas tijeras de cocina. Limpie bien todo el pulpo, y utilice grandes cantidades de sal y agua para eliminar la baba y la arena, prestando especial atención a las ventosas de los tentáculos.

Lentamente, y empezando por los tentáculos, introduzca el *tako* en una olla grande llena de agua en ebullición, con el fuego al máximo, hasta que los tentáculos adquieran un color rojizo y una consistencia elástica. En el sushi, la parte que se utiliza son los tentáculos.

ROLLITO DEL ARCO IRIS

Entre los diversos rollitos "al revés" que se han popularizado desde los años cincuenta, el rollito del arco iris es el más coloreado. La única forma fácil de prepararlo es con la ayuda de film transparente. Antes de su invención, se utilizaban un paño o un segundo *makisu* (esterilla de bambú), que tenían que humedecerse, pero todo el proceso se simplificó gracias al invento del film transparente.

La técnica y los ingredientes del relleno son los mismos que para el rollito de California (página 50). De hecho, en el restaurante Yamato, el rollito del arco iris aparece en el menú como un rollito de California especial.

Una vez que se haya preparado el rollito "al revés" con sus elementos básicos, disponga bandas de aguacate y de pescados de distintos colores sobre el rollito. Las bandas deben cortarse muy finas, pero lo suficientemente gruesas para que se aprecie bien su color. Si lo desea, puede utilizar semillas de sésamo como guarnición; las negras ofrecen un gran contraste.

Envuélvalo todo en film transparente, y enróllelo de nuevo con el *makisu*. Retire el film transparente y córtelo en rodajas o, si le falta coraje, retire el film transparente después de cortar el rollito.

1 Elija el pescado por su color: blanco como el halibut, seriola para el color crema, el naranja del salmón ahumado y del bonito para el rojo.

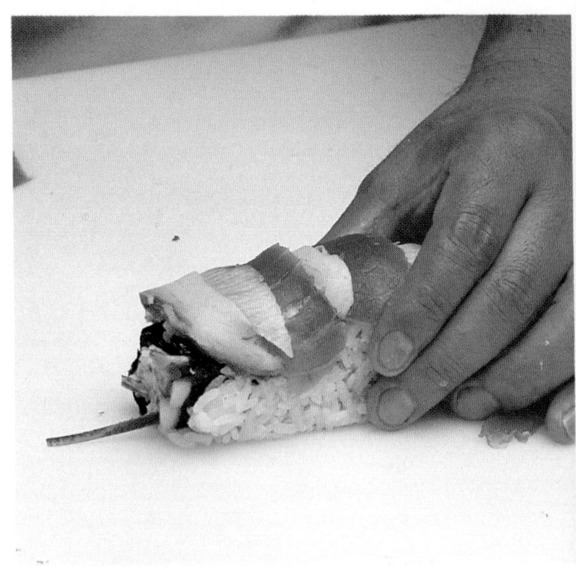

2 Vaya alternando los colores para conseguir el máximo efecto.

3 Prénselo con el *makisu* después de envolverlo en film transparente.

La versión que se muestra en la fotografía lleva una yema de huevo de codorniz para realzar el sabor, igual que en un steak tartar, aunque se trata de un refinamiento poco habitual que raramente se ve en Japón.

1 Para construir un *gunkan-maki* tome una ración de arroz para sushi y dispóngala en el centro de una tira larga de *nori* (papel de alga).

2 Al enrollar el *nori*, hágalo un poco al bies. Esto no se hace únicamente para apelar al gusto japonés por la asimetría, sino que también facilita la preparación del rollito.

3 Doble el extremo saliente del *nori* por debajo, donde se quedará pegado al arroz.

4 Complete el *gunkan-maki* rellenándolo con huevas de salmón.

HUEVAS

En el sushi se utilizan muchos tipos de huevas, que debido a su consistencia blanda, normalmente se reservan para *gunkan-maki* (sushi "acorazado").

La variedad más común es el *ikura* (huevas de salmón, de color rojizo dorado), que pueden comprarse envasadas como el caviar y que son las de mayor tamaño. Si se permite que estén en contacto con el aire durante demasiado tiempo, pierden su textura brillante y la potencia de su color, lo que puede resolverse remojándolas en sake. Si el *ikura* se compra envuelto en su membrana, recibe el nombre de *suzuko*.

El *tarako* (huevas de bacalao en sal) es muy popular como cobertura; su color es marrón rojizo y son huevas bastante más pequeñas que las de salmón. A menudo el *tarako* se tiñe artificialmente para conferirle una viva coloración roja o naranja.

El *kazu-no-ko* (huevas de arenque en sal) es muy apreciado, aunque podría discutirse si ello se debe al hecho de que se trata de un símbolo de fertilidad o a su sabor. El *kazu-no-ko* es extremadamente caro: el término que lo designa popularmente –"diamantes amarillos"– se refiere tanto a su precio, como a su color y a su simbolismo. Las huevas que no están maduras tienen menos color y brillo, y su precio es también inferior porque no saben tan bien.

El *komochi-kombu* es varec (*kombu*), un alga marina en la que el arenque ha depositado sus huevas. Se utiliza como cobertura, cortado en una tira, en el *nigiri-sushi*. Para eliminar la sal del *kazu-no-ko* y el *komochi-kombu* remójelos en agua durante un mínimo de 2 horas. Paradójicamente, parece que añadiendo algo de sal al agua se acelera el proceso de desalado.

También pueden utilizarse huevas de lompa y el verdadero caviar (huevas de esturión). El caviar fresco sin salar es delicioso, pero las probabilidades de encontrar esta exquisitez son cada vez menores.

VIEIRAS (hotate-gai) Y OSTRAS (kaki)

Ver nadar un *hotate-gai* (vieira) es un espectáculo fascinante. En lugar de descansar tranquilamente en el fondo marino, que es lo que en general se espera de un bivalvo, la vieira se abre y se cierra para desplazarse a una velocidad considerable. El músculo abductor que le permite hacer este movimiento es en proporción grande y, en el sushi, se corta en lonchas. Al igual que con el *awabi* (oreja marina), también se come el resto del *hotate-gai*, pero normalmente no se utiliza en el sushi.

En Japón, el cultivo marino de *hotate-gai* es bastante común y es aún más frecuente alrededor de las costas de Hokkaido y Aomori, situadas en el norte.

En la mayoría de bares de sushi el *hotate-gai* suele ser congelado. Los ejemplares más pequeños se cortan habitualmente en trocitos y se sirven como *gunkan-maki* (sushi "acorazado"), pero los más grandes se pueden preparar como *nigiri-zushi*. El músculo abductor de un *hotate-gai* grande puede medir entre 2,5 y 5 cm de diámetro y entre 1 y 6 cm de largo; está situado en el centro de la concha, rodeado por el resto del animal y su color es blanco marfil. Al igual que muchos mariscos, el *hotate-gai* es más tierno cuando está crudo y se vuelve más duro cuanto más se cocina. Cinco minutos de cocción pueden conseguir que el más tierno se vuelva tan duro como el caucho.

El *kaki* (ostra) es una criatura mucho más seria y reposa calmada e inmóvil en el ostral. En Japón, igual que en Occidente, el *kaki* se sirve a menudo en su concha, pero también se utilizan ostras pequeñas enteras y ostras grandes cortadas en picadillo en el *gunkan-maki*.

Kaki *decorado con huevas de salmón y* hotate-gai *servido como* gunkan-maki.

SUSHI VARIADO (chirashi-zushi)

El *chirashi-zushi* de la imagen es *Kanto-fu chirashi-zushi*. Kanto es la parte este del Japón y el lugar de origen del *chirashi-zushi*, que consiste en un lecho de arroz para sushi sin ningún aditivo, sobre el que se disponen varios tipos de pescado, junto con un *tamago* (en tacos gruesos), *kampyo* y setas *shiitake*.

Otra forma de *chirashi-zushi* es el *gomoku-zushi*, en el que se mezclan todos los ingredientes, aunque en la parte oeste de Japón (Kansai) se conoce por el mismo nombre de *chirashi-zushi*, por lo que otro término que designa el *gomoku-zushi* es *Kansai-fu chirashi-zushi*.

Debido a que existen tantas formas de *chirashi-zushi*, su preparación tiene más que ver con la inspiración creativa del momento, que con la estricta aplicación de una receta. Dedíquese a experimentar hasta que encuentre la combinación que le guste más. Una de las formas más sencillas de *gomoku-zushi*, por ejemplo, es el *kani* (cangrejo) *chirashi-zushi*. Por cada 225 g de cangrejo, utilice:

INGREDIENTES

500 g de arroz para sushi
2 pepinos
2 setas *shiitake* grandes, preparadas siguiendo las instrucciones de la página 38
60 g de *renkon* (raíz de loto) pelada
3 *tamago* (página 54) cortados en tiras finas
dashi reducido (páginas 36-37)
1/2 cucharadita de sal
1 cucharadita de azúcar

PREPARACIÓN

- Corte el pepino en rodajas bien finas. Rocíelas con sal para extraer algo de líquido y déjelas "sudar" durante unos minutos. Después lávelas en agua y escúrralas a presión. Deje remojar la raíz de loto en agua con vinagre durante 10 minutos.
- Hierva sólo el agua suficiente para cubrir todas las rodajas, y añada una pizca de sal y un chorrito de sake. Sumerja las rodajas en el agua durante unos 30 segundos, luego escúrralas y dejélas marinar en el *dashi* que ha reducido (páginas 36 y 37) o en agua con la sal y el azúcar.
- Mezcle todos los ingredientes, reservando algunos para utilizarlos como guarnición, o bien, utilice *kamaboko* (pastel de pescado), o más cangrejo. También puede decorarlo con langostino hervido (o gamba), angila, sábalo, atún, sepia, *tamago* (tortilla), más *shiitake*, raíz de loto preparada como se ha indicado y un pepino, preparado como se acaba de explicar. Se puede añadir *gari* y *wasabi* según gusto y, por supuesto, siempre se puede añadir *kampyo* a cualquier *chirashi-zushi*.
- Otras formas de *chirashi-zushi* llevan *tofu* frito, judías tiernas, brotes de bambú e incluso pollo.

BESUGO
(tai)

El *tai* (besugo) que se utiliza en el sushi se puede servir sin ningún tratamiento especial previo, pero a menudo se cocina parcialmente la cara en la que está la piel vertiendo agua hervida sobre el pescado.

Para preparar el *tai* según la forma tradicional, se siguen los pasos habituales del *sanmai oroshi* (página 28), pero se coloca un paño sobre la cara en la que está la piel y se vierte agua hirviendo por encima. Si tiene prisa, es más fácil verter el agua directamente sobre el filete ya separado, y el efecto es prácticamente idéntico.

Otra manera de presentar el *tai* consiste en limpiar el pescado entero y retirar las espinas, rellenando la cavidad interior con arroz para sushi.

Filetes de tai *cortados en porciones y servidos como* nigiri-zushi.

1 El *tai* no es un pescado grande. Sus parientes de mayor tamaño, como el mero, no se preparan normalmente del mismo modo.

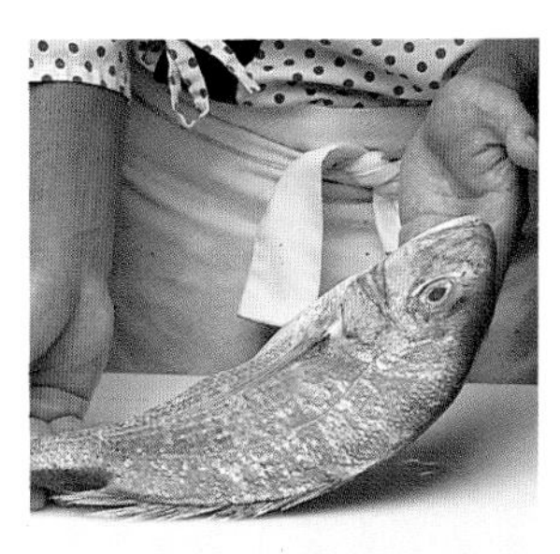

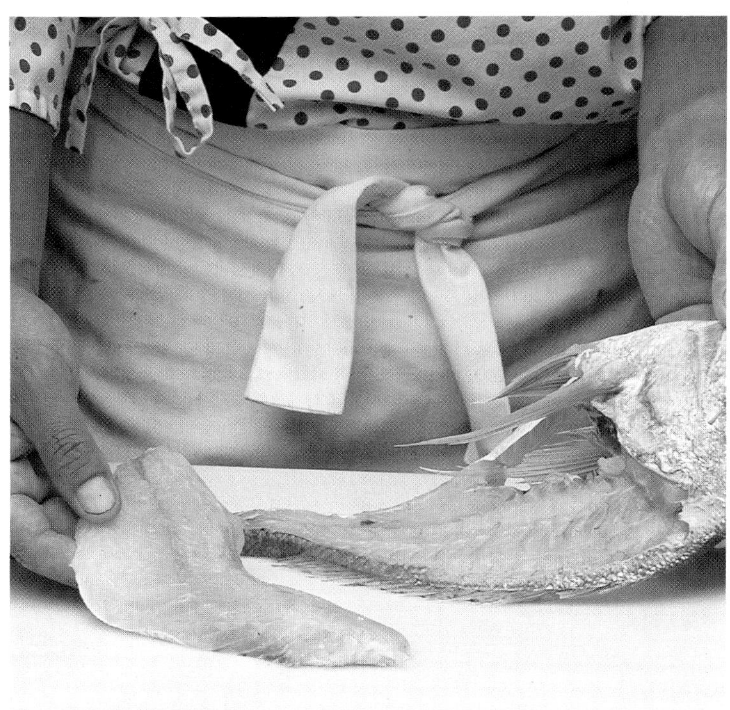

2 Si el pescado va a utilizarse como centro decorativo, separe los filetes con cuidado, siguiendo el estilo *sanmai oroshi* (página 28).

3 Un paño es lo ideal para envolverlo.

4 Puede que no se aprecie claramente en la fotografía, pero la carne del pescado que ha sido tratado con agua hirviendo es más blanca y brilla menos que la del filete que aparece debajo.

Pueden prepararse del mismo modo otros pescados de carnes firmes y de tonalidades pálidas, como el *suzuki* (lubina), la rabirrubia y el pargo. El roncador y la corvina podrían, en teoría, prepararse de la misma manera. La mayoría viven en mares cálidos o templados.

CONGRIO (anago) Y ANGUILA (unagi)

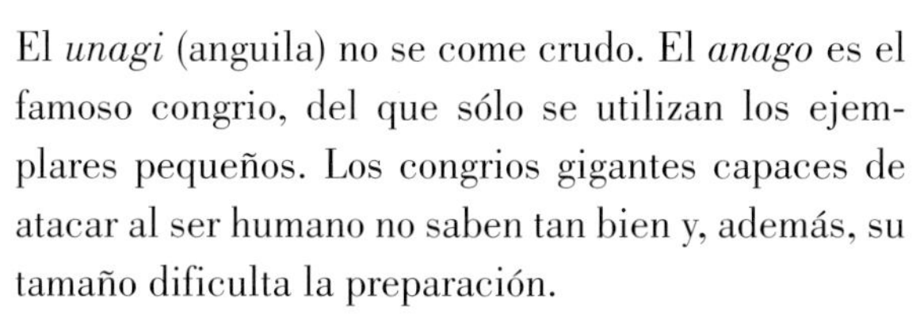

El *unagi* (anguila) no se come crudo. El *anago* es el famoso congrio, del que sólo se utilizan los ejemplares pequeños. Los congrios gigantes capaces de atacar al ser humano no saben tan bien y, además, su tamaño dificulta la preparación.

La manera más fácil de cortar el *unagi* en filetes es fijando la cabeza a una tabla, con la espina apuntando hacia usted. Con un cuchillo bien afilado, abra un corte detrás de la cabeza y haga avanzar el cuchillo sobre la espina, de la cabeza a la cola. Separe este filete y déle la vuelta al *unagi*.

Corte la espina por detrás de la cabeza y, con el cuchillo en posición paralela a la superficie de trabajo, separe el segundo filete haciéndolo deslizar entre la carne y la espina, desde la cabeza hacia la cola. Retire la espina y las entrañas y, con el dorso de la hoja del cuchillo, raspe la piel, que está recubierta por una capa viscosa. Enjuáguelo y escúrralo.

Con un cuchillo muy afilado, retire las espinas que están pegadas a la carne.

Para cocinar el *anago*, cuézalo a fuego lento de 7 a 8 minutos con la piel en la cara de abajo, en una mezcla a partes iguales de salsa de soja, sake, *mirin* y azúcar.

Primero ase los filetes-*unagi* a la parrilla en forma de pinchito y luego al vapor 5 minutos. Rocíelos con una salsa a base de *mirin* y azúcar y vuelva a pasarlos por la parrilla.

Si sigue cocinando el *anago* en esta mezcla hasta que ésta empiece a reducirse, obtendrá una salsa muy espesa de sabor fuerte y tonalidades marrones y oscuras, denominada *tsu-me*. Si se seca demasiado, añada un poco más de salsa de soja, azúcar y *mirin*, y siga cociéndola. El resultado, a cuyo espesor también contribuye la gelatina que se desprende del *anago*, se utiliza a menudo para salpicar distintos tipos de sushi.

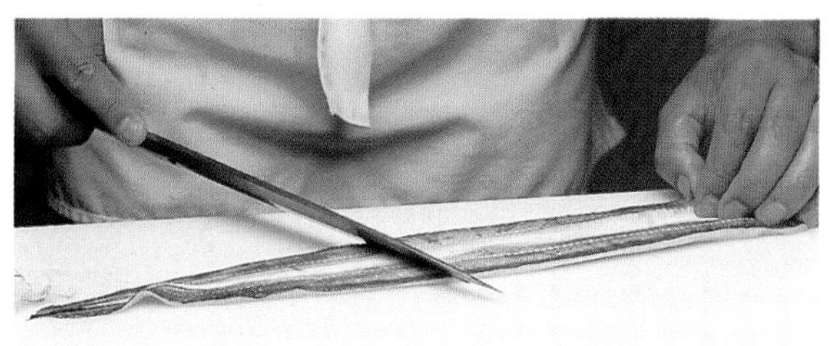

1 Raspe la piel con el dorso del cuchillo. En la fotografía, la dirección del movimiento es de izquierda a derecha.

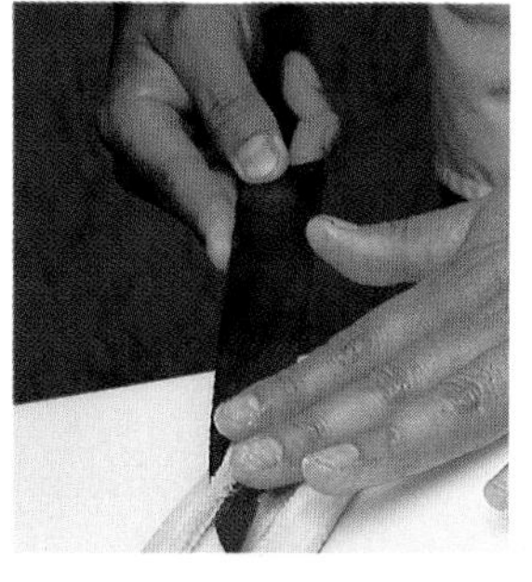

2 Corte las espinas laterales.

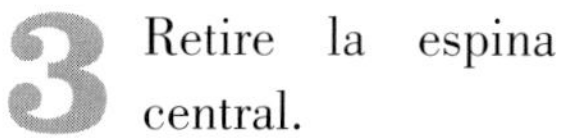

3 Retire la espina central.

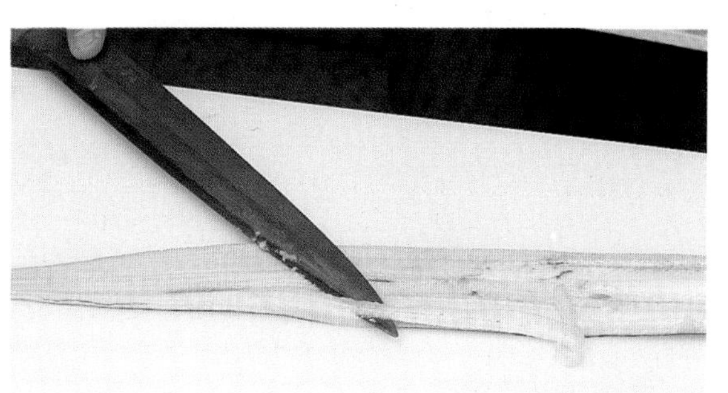

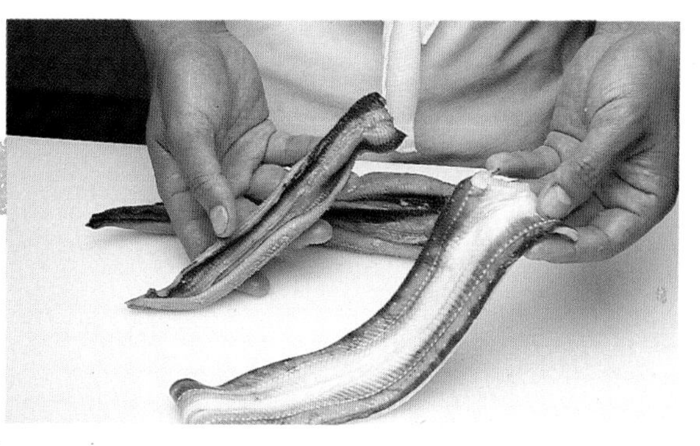

4 Una vez cocinado, el filete de *anago* será mucho más pequeño que la versión cruda.

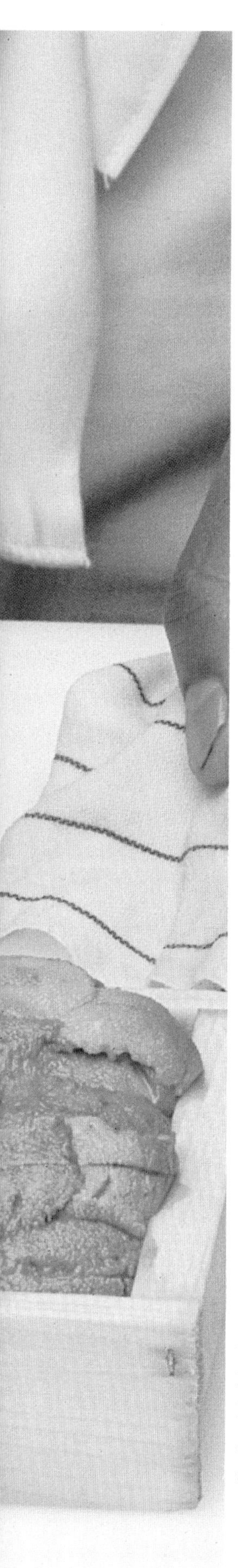

ERIZO DE MAR (uni)

Lo que se esconde bajo las púas del *uni* (erizo de mar) se considera una delicia en muchas partes del mundo. Aunque también hay quien se come la carne, normalmente la parte que se come son las huevas, que están fijadas a la cara interior de la cáscara, formando cinco tiras que van radialmente de la parte superior a la inferior.

Probablemente, los erizos de mar se estropean más rápido que cualquier otro tipo de marisco y, a no ser que pueda conseguirlos vivos (lo que a menudo implicará pescarlos usted mismo), vale más que simplemente compre las huevas, que se venden en cajas como la que se muestra en la fotografía. También son deliciosos el *uni* o el *neri uni* (huevas de erizo de mar) envasados, a menos que se comparen con el producto fresco. La diferencia es parecida a la que existe entre la piña fresca y la piña en lata.

Para preparar *uni* fresco, corte la frágil cáscara en dos, utilizando un cuchillo pesado y bien afilado; si emplea un cuchillo pequeño o que no esté bien afilado corre el riesgo de que la cáscara se rompa en varios pedazos. La carne, de consistencia casi líquida, y la parte de la boca, en el centro, se retiran. Las huevas del macho son amarillas y comestibles, aunque las huevas de la hembra, de color naranja, son mucho más apreciadas.

Debido a su consistencia extremadamente blanda, normalmente se sirve como gunkan-maki *(sushi acorazado). En algunos lugares, el* uni-maki *se sirve a veces con un huevo de codorniz como guarnición.*

El uni *ya preparado puede comprarse en cajas.*

LANGOSTINOS (ebi)

Tradicionalmente, el *ebi* (langostino o gamba) se sirve cocinado; sólo los ejemplares más frescos y de mejor calidad se sirven crudos

Al cocinar *ebi*, el truco consiste mantenerlo en posición recta, lo que se consigue insertando un pinchito muy fino en su interior, como en la fotografía. Seguramente, los más prácticos son los de acero inoxidable, aunque los de bambú son más tradicionales.

Limpie los langostinos o las gambas a fondo y retire la vena que recorre el lomo insertando un palillo entre las carne y el caparazón. Ensarte el *ebi* en un pinchito y sumérjalo en agua hirviendo. Al principio se hundirá en el agua, y cuando esté listo, empezará a flotar. Retírelo entonces y sumérjalo en agua con hielo; esto se hace para darle más fuerza al color y además ayuda a retirar los pinchitos con mayor comodidad. Para retirarlos, hágalos girar mientras tira de ellos.

Pele los langostinos o las gambas y retire las patas y la cabeza, pero deje intacta la punta de la cola.

Abra un corte siguiendo la línea media de la cara interior del animal y forme una mariposa, girando el langostino al revés. Guárdelo tapado en el frigorífico hasta su uso, que debe ser pronto.

En el sushi se emplean distintos tipos de langostinos. Deben ser lo bastante grandes para que valga la pena utilizarlos y, a la vez, suficientemente pequeños para que se puedan manipular. Las galeras, deliciosas, a pesar de que su apariencia se considera desagradable en muchas partes de Occidente, pueden servirse crudas o cocidas. También pueden usarse langostinos congelados pero de buena calidad, si no llevan demasiada agua.

1 De abajo a arriba: cola de *ebi* crudo con un pinchito de bambú para cocinarlo; *ebi* cocido en el pinchito; *ebi* después de extraer el pinchito.

2 Pele el *ebi*. Se deja sin pelar una pequeña parte de la punta de la cola; corte al bies.

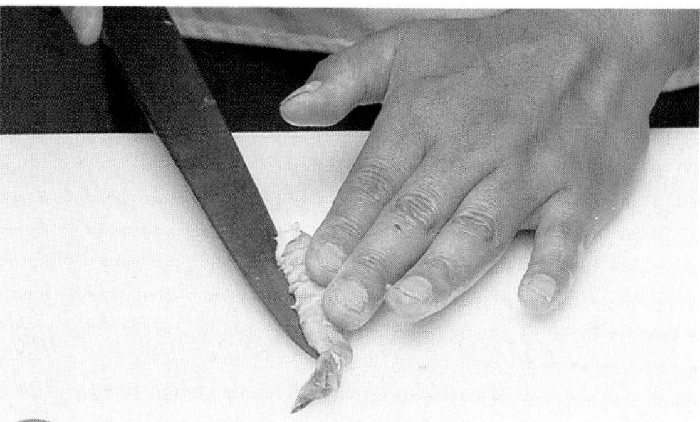

3 Corte la cola por la cara interior, sin llegar a partirla en dos mitades.

4 Gire el *ebi* al revés para crear un langostino en "mariposa".

SALMÓN AHUMADO

El salmón ahumado no es exactamente un ingrediente tradicional japonés, hasta el punto de que en Japón es común referirse al salmón empleando la palabra en inglés. Sin embargo, al igual que tantos otros ingredientes no tradicionales, da muy buenos resultados.

Utilice salmón de calidad, del tipo que tiene una apariencia traslúcida y ha sido ahumado por un procedimiento lento (salmón ahumado escocés o canadiense). Evite el que se vende cortado en trozos desiguales, a veces, ya empaquetado. Corte el salmón en lonchas muy finas y utilícelo en el rollito del arco iris (página 66), como guarnición con huevas o *uni*, o de cualquier otra manera que a usted le parezca adecuada.

En casa puede preparar rollitos *kasher* con paté de salmón o con piezas de salmón ahumado que no sean caras, en lugar de comprar los filetes más grandes. Ésta es además una excelente manera de preparar sushi para personas a quienes no les gusta el pescado crudo, no lo pueden comer o sienten aprensión ante la idea.

1 Utilizando la técnica básica que se sigue en la preparación del rollito "al revés" (página 50), empiece por el pepino o la cebolleta, o por ambos.

2 Añada tiras generosas de salmón ahumado, ya que de lo contrario el delicado sabor del salmón se verá dominado por los demás ingredientes.

3 Corte el requesón en tiras de unos 5 cm² y dispóngalas al lado de las tiras de salmón; luego forme el rollito.

4 Corte el rollito en dos mitades y colóquelas una junto a la otra; en dos cortes más, obtendrá 6 porciones.

SUSHI PICANTE

Atún marinado en una salsa picante, presentado en un maki *pequeño*

Para el sushi picante, lo mejor es utilizar pescados de sabor fuerte, como el atún, el bonito y la seriola, o el tiburón; si no, no podrá apreciarse el sabor del pescado. Si usa aceite de sésamo, evite la carne que rodea el vientre.

Tradicionalmente, los únicos condimentos que se utilizaban en el sushi eran el vinagre y el *wasabi* (rábano picante japonés). Durante los últimos años, sin embargo, el sushi picante ha ido ganando popularidad.

Los condimentos más utilizados son una pasta a base de pimienta de Cayena (preparada sólo con pimientos de Cayena, sal, agua y nada más) y, en algunos restaurantes, el aceite de sésamo. También se emplea el *wakegi* (cebolletas) para añadir algo de picardía a ingredientes con sabores planos, y el sabor de los brotes de *daikon* (rábano largo) no se olvida fácilmente: los brotes de *daikon* parecen berros u hojas de mostaza grandes, pero son mucho más picantes.

A menos que sea amante del picante, al principio utilice estos ingredientes con moderación.

Como la marinada podría llegar a quemar, es más habitual que el sushi picante se presente en forma de *maki*, que en forma de *nigiri-zushi*; de esta manera se puede apreciar mezcla de sabores antes de que el picante llegue a las papilas gustativas. Los *maki*s picantes pueden ser "al revés" o normales, más pequeños. Dos versiones populares de sushi picante en el restaurante Yamato son:

Rollito kasher picante

El rollito *kasher* se prepara tal y como se describe en la sección dedicada al salmón (pág. 82), pero con *wakegi*, generosamente espolvoreado con *goma* y con el queso, además del salmón, marinados en una mezcla de salsa de pimienta de Cayena y salsa de soja. Su sabor puede llegar a ser tan fuerte, que si no pusiera nada de salmón, seguramente no se notaría.

Atún picante

1 Mezcle salsa de soja y la pasta de pimienta de Cayena en un bol.

2 Añada una pequeña cantidad de *wakegi* picado. Agregue el atún y déjelo marinar.

SEPIA (ika)

Tradicionalmente, el *ika* (sepia) ha sido un elemento muy importante en el sushi, pero hasta hace poco tiempo siempre se cocinaba. El *ika* crudo es de color blanco pálido y su textura no agrada a todo el mundo. Una vez cocido, su piel adquiere tonalidades violetas, parecidas a las del pulpo hervido. Muchos restaurantes modernos de sushi sirven ambas modalidades.

A diferencia del *tako* (pulpo), en el que los tentáculos son la principal atracción, en el caso de la sepia, es el cuerpo lo que se utiliza en el sushi.

Para limpiar un *ika* fresco, agarre bien el cuerpo con una mano y los tentáculos con la otra; si previamente se ha salado las manos le será más fácil sujetarlo. Tire para separar el cuerpo de los tentáculos; los tentáculos se desprenderán, junto con las entrañas.

Limpie bien el cuerpo con mucha sal. Arranque la piel que recubre el cuerpo, enjuáguelo bien y séquelo. El *ika* puede servirse crudo, tal y como está, o puede cocinarse.

Una de las maneras de cocinarlo consiste en abrir de un corte la bolsa que forma el cuerpo y convertirla en una pieza plana. Después, se marcan unas estrías en diagonal, separadas entre ellas por unos 5 cm, y se repite la misma operación en dirección contraria. Estos cortes que imitan el exterior de una piña cumplen dos funciones: una es decorativa y la otra consiste en evitar que la sepia se ondule al cocinarla. El *ika* se cuece muy rápido: sumerja la sepia en un cazo grande lleno de agua hirviendo durante sólo 15 segundos, luego escúrrala y déjela enfriar.

Utilice este *ika* en forma de piña para la cara exterior de un rollito. Recubra el interior del *ika* con *nori* (papel de alga), y llénelo con setas *shiitake* en láminas y *kampyo* sazonado (páginas 34 y 35), carne de pescado blanco, tirabeques y arroz para *sushi*. Enróllelo formando un *makisu* y sírvalo cortado en porciones.

A veces se cocinan sepias pequeñas enteras. Para ello se utiliza una mezcla de *dashi* (caldo) –que previamente ha sido reducido– y salsa de soja, *mirin* y azúcar.

TEMAKI

Debido a que el arroz no se prensa, un rollito normal contiene un poco más de arroz que una porción de *nigiri-zushi*; por ello el *temaki* llena menos que otros tipos de sushi y es ideal para personas que tienen que vigilar su peso. Incluso pueden utilizarse alternativas al *nori*: con lechuga y especialmente con la lechuga romana, se puede preparar un rollito muy refrescante.

El *temaki* es una innovación relativamente reciente. Se trata de rollitos *(maki)* hechos a mano, es decir, sin la ayuda de un *makisu*, y su popularidad va en aumento. En algunos bares de sushi en Japón se piden menús de *temaki*, que consisten en una caja de arroz, una caja de *nori* y un surtido variado de ingredientes para sushi, incluyendo pescado, *kampyo* y pepinillos. Así, cada uno se prepara los rollitos a su gusto.

En casa puede hacerse algo parecido; el *temaki* es ideal para cenas frías en las que los invitados se sirven ellos mismos lo que les apetece. Cualquiera de los ingredientes descritos en este libro podría ser adecuado, pero le recomendamos atún, un bol de salsa de pimientos de Cayena (página 84), langostinos (o gambas), *kampyo*, pepino y, por supuesto, *gari* (jengibre en vinagre) y *wasabi* (rábano picante japonés).

Algunos disfrutan experimentando con todo tipo de ingredientes, como pollo cocido, carne de vacuno muy poco hecha, jamón, requesón, brotes de *daikon* (rábano largo), etc. El *temaki* constituye una excelente forma de experimentar con nuevos ingredientes como por ejemplo el *fuki* (fárfara hervida, preservada en sal, que se vende envasada).

También pueden emplearse ingredientes blandos o semilíquidos, como las huevas o el *uni*. En este caso le será más fácil preparar *temakis* cónicos con el arroz en el fondo y el relleno encima. Use cuartos de hoja de *nori*, ya que son más fáciles de manipular.

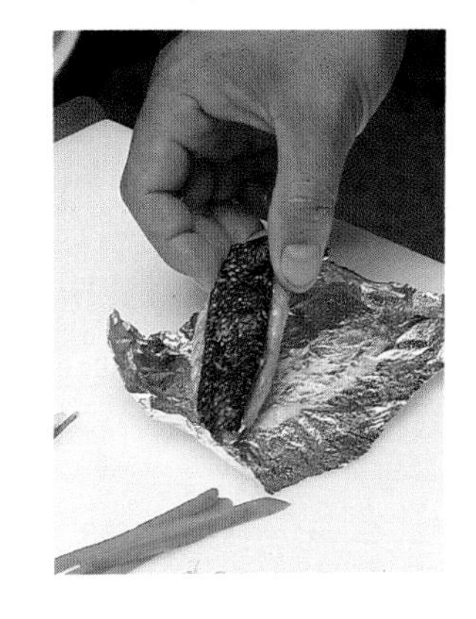

1 Un rollito muy popular en el restaurante Yamato es el de piel de salmón, que se prepara con un filete de salmón con piel. Se asa a la parrilla por el lado de la piel.

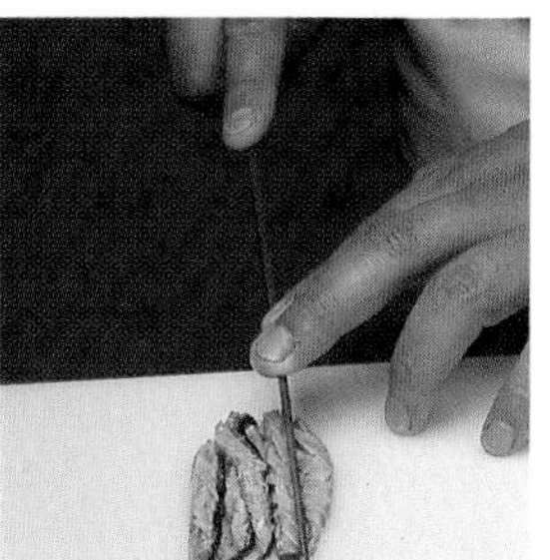

2 Después se corta el salmón en tiras.

3 Se extiende un poco de arroz sobre media hoja de *nori* y se añaden el salmón y las verduras.

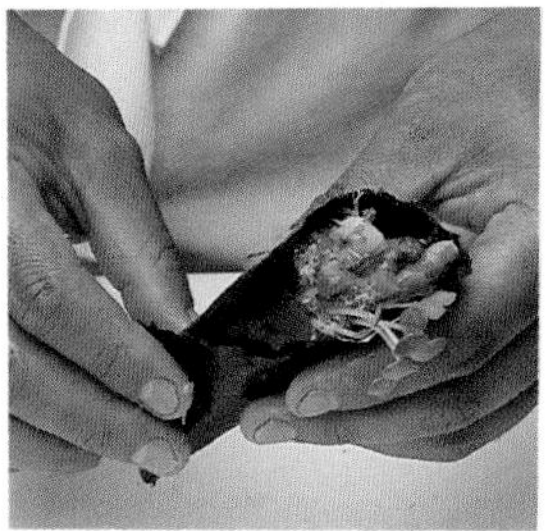

4 El rollito es algo cónico, para que los ingredientes asomen por el lado más ancho del cono.

OJO DE TIGRE

1 Corte el interior de un filete de sepia para formar una bolsa. Cortarlo así es algo que exige cierta habilidad.

El ojo de tigre es una de esas sofisticadas variedades del sushi que a los *itamae* les gusta preparar para demostrar su virtuosismo. Su preparación requiere algo de tiempo y cierta destreza.

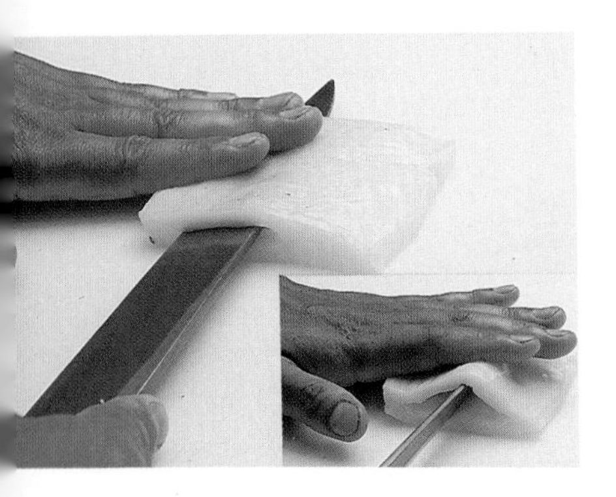

2 Sobre media hoja de *nori* (papel de alga), disponga suficientes lonchas de salmón ahumado para cubrir la mitad, aproximadamente. El salmón debería llegar hasta los extremos, pero sin sobresalir.

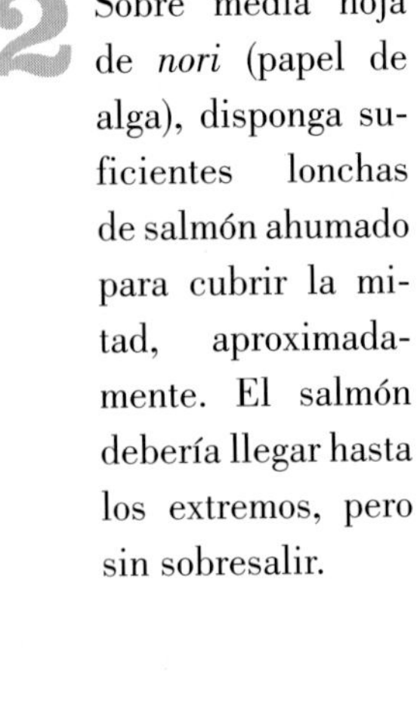

3 Sobre el centro del salmón disponga una tira de *kamaboko* (pastel de pescado) y encima una gamba en mariposa (pág. 80).

4 Esta fase se completa con otra capa de salmón ahumado.

5 Enrolle el *nori* con los ingredientes que se han descrito y corte para que quepa dentro de la sepia, si es demasiado grande.

6 Inserte el rollito de *nori* dentro de la bolsa que ha formado con la sepia.

7 Ahora el rollito de *nori* queda suelto dentro de la bolsa. Para que la sepia se encoja a su alrededor, se cocina a la parrilla durante algunos minutos.

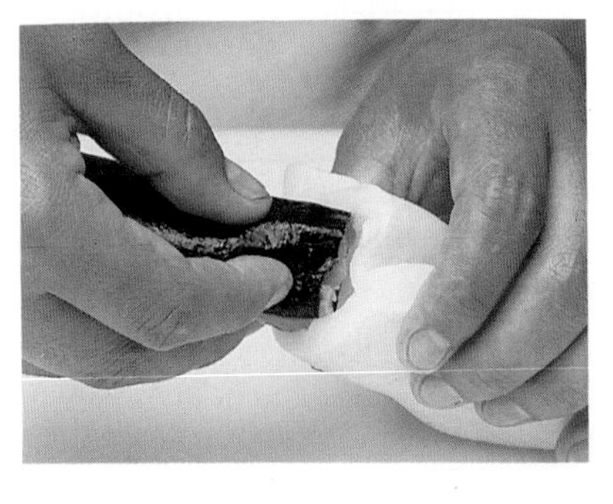

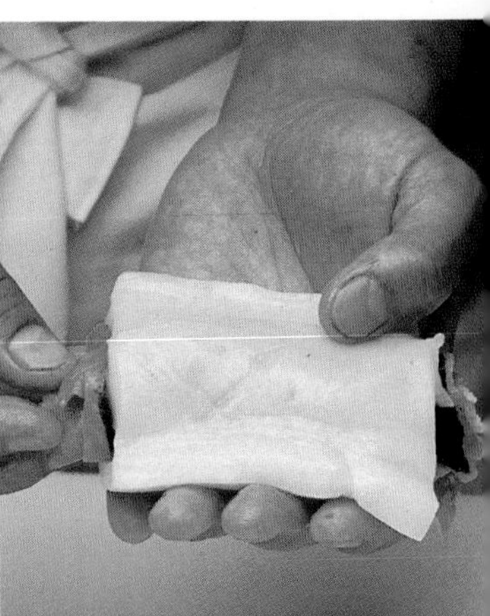

Para servir, el ojo de tigre se corta en rodajas.

Katsuo *servido como* nigiri-zushi

ATÚN (maguro), SERIOLA (hamachi), BONITO (katsuo) Y PEZ ESPADA (ma-kajiki)

El *maguro* (atún) y el *hamachi* (seriola) son dos de los pescados clásicos del sushi. Ambos se sirven a menudo como *nigiri-zushi*, en porciones cortadas al bies, aunque también se utilizan restos de filetes de atún en los *maki*, y ambos tipos de pescado se emplean normalmente en el rollito del arco iris.

Se trata de pescados grandes y grasos. El sushi que se prepara con ellos varía en sabor y precio, según la parte del pescado empleada.

La carne más grasa del *maguro* se conoce con el nombre de *otoro*; es la parte más apreciada del *maguro* (busque el atún *toro* en el menú), y es más oscura que la carne menos grasa y de tonalidades más parecidas al naranja, llamada *chutoro*. La carne roja que rodea la espina recibe el nombre de *akami*. La carne roja de los poderosos músculos de la cola es la más barata, pero aún así es deliciosa. Al igual que el *hamachi*, el *maguro* se corta en filetes siguiendo la técnica *gomai-oroshi*, y cada uno de los filetes laterales se cortan longitudinalmente en dos bloques o *cho*.

El *hamachi* es algo más pequeño y las diferencias entre las distintas partes del animal son menores. El sushi hecho con *hamachi* del *cho* superior se corta de tal manera que la ración contenga una banda de carne más oscura *(chiai)* en un extremo; para los amantes del sushi fuerte, esto constituye una delicadeza, aunque para muchos su sabor a pescado es excesivo.

El *katsuo* (bonito) es más pequeño que el *hamachi* y las diferencias entre las distintas partes del animal son también menores. A veces el *katsuo* se tuesta sobre el fuego y se enfría rápidamente en agua con hielo, antes de cortarse en raciones.

El *ma-kajiki* fue en otra época el pescado más apreciado en el sushi, aunque actualmente no merece la misma consideración.

Si tuesta katsuo *sobre el fuego, utilice pinchitos de bambú; puede que se quemen un poco por las puntas, pero así se evitará usted quemaduras en los dedos.*

Maguro, *servido como* nigiri-zushi.

LAS CUATRO ESTACIONES

La cultura japonesa presta especial atención a las estaciones del año. Uno de los requisitos clásicos del *haiku*, el verso de 17 sílabas, es que debe incluir alguna referencia a la estación para la que se escribió.

El único problema es que en un mundo en el que podemos fletar aviones para el transporte de pescado las estaciones del año dejan de tener la importancia que tuvieron en otros tiempos. Incluso la tradición inmemorial de no comer ostras durante los meses del año que no llevan "R" (mayo, junio, julio y agosto) pierde su validez al ser tan frecuente el cultivo de ostras.

La posibilidad de congelar el pescado incide también en el mismo sentido. Los pescados grasos, si se congelan a las pocas horas, o incluso minutos, de ser capturados (lo que es actualmente posible gracias a los modernos buques-factorías) pueden descongelarse muy despacio y ser aptos para sushi. Con la seriola, por ejemplo (que en Japón se cultiva en piscifactorías), apenas se aprecia la diferencia entre la fresca y la congelada. Los pescados menos grasos, por otra parte, pueden responder mal a la congelación.

Además, hay varios tipos de pescado que están en temporada todo el año, pero cuyo precio en invierno (cuando los pescadores están menos dispuestos a salir) puede llegar a doblar su precio en verano. La carne menos grasa del atún, el *chutoro* corriente, alcanza precios dos, tres e incluso cuatro veces superiores al de un filete de primera calidad *(filet-mignon)*.

Y para completar el panorama, hay distintas clases de un mismo pescado que están en temporada en distintos momentos del año. Por ejemplo, el atún *meiji*, se supone que está en su mejor momento durante el verano, mientras que otros atunes son pescados de otoño. Los erizos de mar tienen la temporada durante verano y otoño en algunas costas, y en otras, su sabor es mejor en invierno y en primavera. Si en su pescadería se preocupan por la mercancía y conocen la procedencia del pescado (o incluso la anotan junto al precio), también sabrán aconsejarle lo mejor.

Debido a que este libro se ha concebido para ser publicado en varios países del mundo sería imposible ofrecer aquí una guía de las estaciones del año que tuviera sentido, ya que todo depende de la situación geográfica. La mejor manera de aprender más sobre las estaciones es ir acumulando experiencia: algunos tipos de pescado saben mejor que otros en distintos momentos del año. Si tiene buenas relaciones con alguna pescadería de la que pueda fiarse y va a comer a algún buen bar de sushi donde el *itamae* le explique cosas, tardará más o menos un año en aprender lo que haya que aprender sobre las estaciones del año allí donde usted vive.

De una manera muy general, y a modo de guía, podríamos decir que la mayoría de peces de aguas frías están en su mejor momento durante el otoño, que es la parte del año durante la que acumulan reservas de grasa para el invierno. Los peces de aguas templadas suelen saber mejor durante la primavera y el verano, cuando hay abundancia de alimentos y crecen y se hacen fuertes. En invierno, las mejores opciones son los pescados grasos como la caballa y el arenque. Los pescados planos suelen saber mejor en primavera.

Por lo que se refiere al marisco, sorprendentemente, el verano es un buen momento para muchas especies. La antigua prohibición de comer marisco en verano tenía más que ver con el temor a que se estropeara que con cuestiones de sabor. El pulpo y la sepia resultan especialmente buenos en invierno y en primavera, y los langostinos (o gambas) y varias clases de mariscos, en invierno.

La estación del año en la que existe un mayor abanico de posibilidades es la primavera, seguida de cerca por el verano. La gama suele verse más reducida en invierno y el otoño sería una estación intermedia.

GLOSARIO JAPONÉS - ESPAÑOL

AGE
Tofu frito

AKAGAI
Arca japonesa

AKAMI
Carne roja que rodea la espina

ANAGO
Congrio

AO-NORI
Algas en copos

AOYAGI
Mercenaria

AWABI
Oreja de mar

BAKAGAI
Véase *aoyagi*

BANCHA
Clase de té

BURI
Seriola

CHA
Té

CHIAI
Carne más oscura de la parte exterior del pescado (página 92)

CHIRASHI-ZUSHI
Sushi variado

CHUTORO
Carne grasa del atún (página 92)

DAIKON
Rábano japonés

DASHI
Sopa de pescado

EBI
Langostino (o gamba) o langosta

ENGAWA
Carne situada al lado de las aletas en los peces planos

FUGU
Pez globo

FUKI
Fárfara (página 88)

FUTO-MAKI
Rollito grande

GARI
Jengibre en vinagre

GOMA
Semillas de sésamo

GOMAI OROSHI
Técnica de las cinco piezas para cortar pescado (página 30)

GOMOKU-ZUSHI
Sushi variado mixto

GUNKAN-MAKI
"Sushi acorazado"

GYOCURO
Té verde de calidad superior

HAKO-ZUSHI
Sushi de caja o sushi prensado

HAMACHI
Una seriola joven

HANGIRI
Tina para el arroz

HASHIRA
Parte del cuerpo de un molusco (página 52)

HIKARI-MONO
"Cosas que brillan"

HIMO
Parte del cuerpo de un molusco (página 52)

HIRAME
Halibut

HIYASHI-WAKAME
Véase *wakame*

HOCHO
Cuchillos

HOSO-MAKI
Rollitos pequeños

HOTATE-GAI
Vieiras

IKA
Sepia

IKURA
Huevas de salmón

INARI-ZUSHI
Tofu relleno, frito

ITAMAE
Chef de sushi

KAKI
Ostras

KAMABOKO
Pastel de pescado

KANI
Cangrejo

KAMPYO
Calabaza seca

KAPPA
Pepino

KATSUO
Bonito

KATSUO-BUSHI
Copos de bonito desecado

KAZU-NO-KO
Huevas de arenque

KISU
Agujeta austral

KOHADA
Sábalo

KOMBU
Clase de algas

KONOSHIRO
Sábalo

MAGURO
Atún

MA-KAJIKI
Pez espada

MAKI
Rollitos de sushi

MAKISU
Esterilla de bambú

MIRIN
Sake dulce para cocinar

MIRUGAI
Almeja de can

MISO
Pasta de soja fermentada

MISO-DASHI
Sopa de *miso*

MOMIGI-OROSHI
Pasta de guindilla

MUSHI-ZUSHI
Sushi al vapor

NAKA-ZUMI
Véase *kohada*

NARE-ZUSHI
Sushi fermentado

NATTO
Preparado de soja glutinosa

NIGIRI-ZUSHI
Sushi prensado a mano

NINJIN
Zanahoria

NORI
Papel de alga

OBORO
Derivado del pescado, edulcorado (página 56)

OTORO
La carne más grasa del atún

PONZU
Vinagre cítrico (página 58)

SABA
Caballa

SAKE
Vino de arroz

SAKE
Salmón (se pronuncia distinto a la palabra anterior)

SAKUDORI
Técnica para cortar el pescado (página 24)

SANMAI OROSHI
Técnica de las tres piezas para cortar pescado (página 28)

SASHIMI
Pescado crudo, servido sin arroz

SAYORI
Agujeta

SENCHA
Un té verde de grado medio

SHAMOJI
Espátula para el arroz

SHIITAKE
Clase de setas, normalmente secas

SHINKO
Véase kohada

SHISO
Begonia

SHOYU
Salsa de soja

SU
Vinagre de arroz

SUDARE
Otro vocablo para designar *makisu*

SUDORI SHOGA
Otro vocablo para designar *gari* (jengibre en vinagre)

SUIMONO
Tipo de sopa

SUSHI-ZU
Vinagre picante, endulzado (página 42)

SUZUKI
Lubina

SUZUKO
Véase *ikura*

TAI
Besugo

TAKO
Pulpo

TAMAGO
Huevo

TARAKO
Huevas de bacalao

TEMAKI
Sushi enrollado a mano

TOFU
Cuajada de soja

TORI-GAI
Berberecho

TSU
Experto en sushi

TSU-ME
Salsa espesa para aplicar con pincel (página 76)

UCHIWA
Abanico

UME-BOSHI
Ciruelas adobadas

UNAGI
Anguila de agua dulce

UNI
Erizo de mar

WAKAME
Tipo de alga (página 40)

WAKEGI
Cebolleta, cebollitas tiernas, chalote

WASABI
Rábano picante japonés o mostaza japonesa

YUNOMI
Taza de té grande

ZARU
Colador de bambú

ÍNDICE